대구, 이미 시작된 미래

권영진의 2030
대구 미래 전략 보고서

대구, 이미 시작된 미래

Make the Future in Daegu

미래는 기다리는 것이 아니라
만드는 것이다!

권영진 지음

권영진의 **2030**
대구 미래 전략 보고서

클라우드나인
CLOUD 9

프롤로그

미래세대를 위한 대구혁신! 시민과 함께하겠습니다

절망에서 미래를 꿈꾸다

20년 넘게 1인당 지역내총생산GRDP 전국에서 꼴찌인 도시, 대기업이 한 개도 없는 도시, 해마다 1만여 명의 청년들이 사라지는 도시, 이곳에서 산다는 것이 자랑스럽지 않은 불만의 도시. 안타깝지만 이것이 대구의 모습이었습니다. 인구는 계속해서 줄어들었고 그중 절반 이상이 20~34세 청년층이었습니다. 청년들이 떠나는 이유는 명확합니다. 마땅한 일자리도, 자신들의 이야기를 들어줄 사람도, 끼와 열정을 발산할 마땅한 장소도 문화도 없어서이고 무엇보다도 먹고살기 위해서였습니다. 어쩌면 우리 청년들에게는 대구를 떠나야만 하는 것이 숙명이 되어버린 건 아니었을까요?

대구는 저에게 특별한 곳입니다. 질풍노도의 시절을 보내던 열일곱 살의 저를 남자로 키워주고 나에 대해, 가족에 대해, 그리고 나라와 민족에 대해 생각하고 '나'의 정체성을 키워온 곳입니다. 저는 대구가 역동적으로 커지는 것을 보며 꿈을 같이 키웠습니다. 하지만 지금 우리 청년들에게도 대구가 과연 그런 곳일까? 생각하면 할수록 가슴이 너무 아팠습니다. 그래서 결심했습니다. 더 이상 우리 청년들을 절망케 하지 않고 더 이상 우리네 아들딸들이 일자리를 찾아 대구를 떠나는 일이 없도록 하겠다고 말입니다.

시대가 변했습니다. 더 이상 기존의 전통 산업만으로는 청년들에게 미래를 이야기할 순 없습니다. 지금 당장이 아닌 10년 20년 후 대구의 미래를 책임질 새로운 산업이 필요했습니다. 도시 경제의 체질 자체를 바꿀 새로운 판을 계획해야 했습니다.

장기적 관점으로 변화하고 혁신한다

누군가는 말합니다. 왜 산업구조를 바꾼다거나 도시 공간구조를 바꾼다거나 통합신공항 건설 같은 장기 프로젝트에 총력을 기울이느냐? 좋은 건물 하나 멋지게 짓고 도로 닦고 공원 만들고 시장 임기 4년 안에 눈에 보이는 성과를 보여야 재선에 도움되지 않겠느냐고 말입니다. 참으로 고맙고 현실적인 충고입니다. 그러나 그렇게 한다고 청년들이 떠나가는 절망적 상황을 막을 수 있을까요? 임기 4년 내 가시적인 성과가 없더라도 그래서 나의 재선에 어려움이 있더라도 대구의 미래를 위해 지금 시작하지 않으면 안 되는 일을 시작하는 것이 옳다고 믿었습니다.

왜 대구 시민들이 저 권영진이라는 젊은 시장을 뽑았을까요? 그동안 해왔던 방식을 벗어나 변화와 혁신으로 새로운 대구를 만들어보라는 열망 때문이 아니었을까요? 10년 후 20년 후를 내다보면서 대구가 가진 모든 역량을 집중했습니다. 과감하게 판을 새로 짰고 힘차게 달려왔습니다. 4년 동안 뭘 했느냐고요? 변화와 혁신의 씨앗을 뿌렸습니다. 희망의 싹도 틔웠습니다. 지금 대구가 변하고 있습니다.

대기업이 모이는 희망찬 도시 대구

미래형자동차, 물, 의료, 에너지, 로봇, 사물인터넷IoT을 대구의 신성장 동력 산업으로 선정하고 친환경 첨단산업도시로 탈바꿈하기 위한 초석을 갈고닦았습니다. 대구의 미래 먹거리를 위해 서울로 세종시로 뛰었고 세계를 누볐습니다. 물산업클러스터 착공과 함께 롯데케미칼 등 물기업을 유치하고 중국 물 시장에도 진출했습니다. 세계 4위의 로봇기업 쿠카와 국내 1위 현대로보틱스를 유치해 로봇산업에도 박차를 가하고 있습니다. 의료기업 115개사와 국가지원기관 15개를 유치한 첨단의료복합단지까지. 그동안 164개의 첨단산업 기업들과 2조 1,000억 원의 투자를 유치했습니다. 전기차 선도 도시로 앞서 달려가고 있습니다. 이미 변화의 물꼬를 텄고 이제는 희망만이 남았습니다. 유치한 기업들이 본격 가동되는 2020년 이후 분명 대구는 달라질 것입니다. 다시 한 번 새로운 첨단산업의 메카로 떠오를 것을 믿어 의심치 않습니다.

우리가 함께 바꿔가는 대구

'인심제태산이人心齊泰山移하니 봉산개도逢山開道하고 우수가교遇水架橋하라.' 사람의 마음을 모으면 태산도 움직이니 가는 길에 산을 만나면 길을 만들어가고 물을 만나면 다리를 놓아 가자는 뜻입니다. 혼자서는 큰일을 할 수 없습니다. 시민들이 마음을 모아 함께할 때, 비로소 큰일을 해낼 수 있습니다. 내가 아닌 '우리'가 함께 바꿔가야 한다고 생각했습니다.

시민들과 만나기 위해 누구보다 발로 뛰었습니다. 현장소통시장실을 만들고 시민이 계신 곳 어디든 달려갔습니다. 제 휴대전화 번호를 공개하고 늦은 새벽까지 시민의 전화에 귀 기울였습니다. 신랄한 이야기를 듣기 위해 택시를 타고 민심을 살피기도 했습니다. 시민이 더 주체적으로 시정에 참여하고 정책을 결정할 수 있도록 주민참여예산제와 시민정책제안공모제 등의 통로를 활짝 열었습니다. 시민들이 함께 모여 시정의 방향을 결정하는 시민원탁회의는 분기

별로 정례화되었고 참여 열기는 뜨겁습니다. 시민이 요구하고 바꿔나가면서 '함께' 힘을 모았습니다. 시민들이 주도한 대구치맥페스티벌과 컬러풀대구페스티벌은 세계가 주목했습니다. 밤마다 불야성을 이루는 서문 야시장으로 더 생동감 있는 도시가 되었습니다. 그렇게 시민의 손으로 대구를 만들어왔습니다.

250만 대구 시민들과 함께하면 가능하다!

얼마 전 한 시민이 제 손을 꼭 부여잡고 말씀하셨습니다. '애썼다고. 이제야 대구가 살아 움직이는 것 같다고. 고맙다고.' 하지만 저 권영진 혼자 힘으로 해낸 것이 아닙니다. 오랫동안 침체해 있던 대구를 조금씩 변화시킨 건, 다시금 살아 움직이게 한 건 바로 '우리'입니다. 우리가 '함께' 노력한 결과입니다. 대기업과 글로벌 강소기업들이 하나둘 대구에 오기 시작했고 청년 인구 감소 폭도 점점 줄어들고 있습니다. 취임했을 때보다 경제성장률은 전국 평균보다 높은 3.8%로 특별·광역시 중 1위를 차지했고 2015년도 고용률은 전국 2위를 차지했습니다. 20대의 순 유출인구는 2014년에 비해 32.6%가 줄었고 30대는 같은 기간 75%나 줄었습니다. 대구를 떠나는 젊은이들이 조금씩 줄고 있다는 것. 조금씩 희망이 보입니다. 250만 대구시민이 함께한다면 가능합니다!

대구의 주인으로 공동체를 위해 봉사하고 나누는 시민들도 급격히 늘었습니다. 2013년 12만 8,000여 명에 불과했던 자원봉사 참여자 수는 2017년 28만 7,000여 명으로 두 배 이상 늘었고 아너소사이어티 기부자도 20여 명에서 120여 명으로 증가하고 해마다 대구 사랑의 온도탑은 전국에서 제일 먼저 100도를 넘어서면서 뜨겁게 달아올랐습니다.

물론 아직 못다 이룬 과제들도 남았습니다. 하지만 250만 대구 시

2018년 대구시청 시무식

민들과 함께한다면 분명 가능합니다. 꿈꾸는 사람에게 불가능은 없습니다. 목표를 이루지 못하는 것은 포기하기 때문이지 포기하지 않고 노력한다면 이루지 못할 것은 없습니다. 대구시장으로서 그렇게 달려왔습니다. 이미 곳곳에서 변화의 움직임은 시작됐고 앞으로 더 많이 달라질 것입니다. 오늘보다 내일이 더 행복한 대구! 미래세대를 위한 대구혁신! 시민과 함께하겠습니다.

2018년 3월
권영진

▶ 목차

1장

미래 첨단산업으로
경제의 체질을 바꾼다

1

대구와 손잡은 대기업과 강소기업

청년들이 떠나는 도시는 그만!

어린 저에게 대구는 꿈의 도시였습니다. 시골 소년이 꿈을 펼칠수 있는 큰 도시. 하지만 제가 시장으로 취임한 2014년에 대구를 떠나는 인구 절반 이상이 20,30대 청년이었고 65세 이상 노인 인구가 12.6%를 넘어섰습니다. 농촌 지역도 아닌 인구 250만 대도시에서 젊은층은 줄고 노년층만 늘어나는 현상은 결코 정상적인 일은 아닐 텐데 말입니다.

그 이유를 단적으로 보여주는 이야기를 들었습니다. 대구의 젊은 이들이 선호하는 직장 1순위는 대구은행이요, 2순위도 대구은행이요, 3순위도 대구은행이라는 웃지 못할 이야기. 기업이 떠나 좋은 일자리가 사라지다 보니 대구에는 대구은행만이 살아남아 명맥을 유지하고 있다는 것이었습니다.

지금 대구는 꿈을 잃은 청년들이 떠나는 도시가 되고 말았습니다.

현대로보틱스 본사 출범

좋은 기업이 없으니 인재가 빠져나가고 인재가 빠져나가니 지역 대
학도 활기를 잃는 악순환이 이어지는 것입니다. 이 고리를 끊기 위
해서라도 반드시 바꿔내야만 했습니다. 좋은 기업을 유치하고 일자
리를 창출하기 위해 끊임없이 발로 뛰었습니다.

164개 기업이 선택한 도시

4년이 채 안 돼 우리는 '대기업 대구 유치'라는 오랜 한을 풀었습
니다. 1년간의 협의 끝에 비로소 유치한 현대로보틱스와 롯데케미
칼 등 대기업들과 협력회사들이 대구로 옮겨왔습니다. 또한 쿠팡,
보쉬, 경창의 합작회사들을 비롯해 총 164개사와 총 2조 1,000억
원의 투자를 유치했습니다. 이로써 1만여 명 이상의 일자리를 확보
할 수 있게 된 것입니다.

시민들조차 의아하다는 반응을 보이기도 했습니다. 어떻게 대기
업이 대구로 올 수 있느냐며 뭔가 이상하다고. 사실상 우리 스스로

현대로보틱스 공장

도 믿기 어려운 엄청난 변화입니다. 하지만 대기업이 별다른 이유 없이 대구로 왔을까요. 행운의 여신이 손을 들어주기도 했지만 단지 운이 좋았던 것만은 아니었습니다. 대기업을 유치하기 위해 우리 대구가 그동안 갈고 닦으며 준비해온 자산들이 마침내 빛을 발한 결과 입니다. "승리는 항상 준비한 자에게 돌아간다." 남극을 정복한 탐험가 로알 아문센**Roald Amundsen**의 말이 떠오르는 순간이었습니다.

로봇 도시 대구에 온 현대로보틱스

절대 쉽지만은 않았습니다. 서울과 수도권 중심으로 돌아가는 우리나라 현실에서 굳이 지방 도시로 올 이유가 없기 때문입니다. 왜 대구가 좋은지 기업들이 느끼게 해야 했습니다. 우리는 기업 하기 좋은 도시의 터전을 닦기 위해 노력해왔습니다.

사실 현대로보틱스도 중국 진출을 고민하던 상황이었습니다. 하지만 1년여의 협의 끝에 결국 대구를 선택했고 5개의 협력업체와 함께 대구에 정착했습니다. 그 배경에는 로봇산업을 위해 총력을 기

야스카와전기 한국로봇센터 준공

울여온 우리의 자산이 한몫했을 것입니다. 대구에는 로봇산업진흥원이 있어 다양한 로봇산업진흥정책을 진행해왔으며 로봇산업의 집적화를 위한 로봇산업클러스터도 조성 중이었습니다. 이미 세계 2위의 야스카와전기와 세계 4위인 로봇기업 쿠카KUKA 등도 대구를 선택했을 만큼 로봇기업이 연구 활동을 하기 좋은 토양을 마련한 상태였습니다.

그런 와중에 현대중공업과 미국의 커민스엔진이 합작해서 만든 현대커민스엔진이 경기 부진으로 문을 닫게 됩니다. 대구에 350억 원을 들여 건축한 공장을 철거비용까지 들이기에는 기업 부담이 큰 상황이었습니다. 우리는 '대구시에서 원하는 기업에 팔 수 있도록' 조건을 달았고 이것이 신의 한 수였습니다. 미국 커민스엔진에서는 건물이라도 매각해 손실을 줄여야 했고 현대중공업은 대구시가 원하는 기업을 대구에 보내줘야 하는 상황이 된 것입니다.

때마침 현대중공업에서는 건설장비사업부와 로봇사업부의 독립을 고민하고 있었습니다. 당장의 수입을 위해서는 건설장비사업부가 안정적이었지만, 우리는 4차 산업혁명 등 미래를 위해 로봇사업

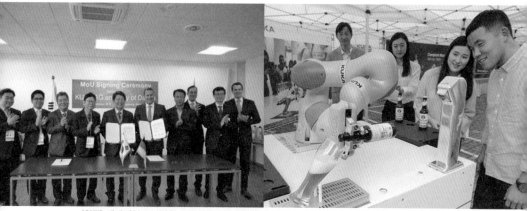

(왼쪽) 세계적인 로봇기업 쿠카KUKA와 투자협력 양해각서MOU 체결 (오른쪽) '2017 대구치맥페스티벌' 축제에 선보인 맥주 따르는 로봇 '엘비알 이바LBR iiwa'

부가 좋다고 판단했습니다. 미국 커민스엔진은 현대중공업 로봇사업부가 대구로 이전할 만큼 매력적인 가격으로 공장을 넘겼습니다. 이 과정을 통해 현대중공업 로봇사업부가 현대로보틱스로 독립해서 들어오게 된 것입니다.

기업의 마음을 움직인 대구형 노사평화

현대로보틱스가 대구로 오도록 하는 데는 그동안 심혈을 기울여 일궈온 노사평화의 도시 이미지와 문화도 한몫했습니다. 현대중공업이 노사문제로 어려움을 겪어왔던 만큼 현대로보틱스를 독립할 때 지역 선정에 고민이 많았습니다. 우리는 대구시의 노사평화 문화를 이야기하고 대구시에서 함께 해결해주겠다고 약속하고 설득했습니다.

물론 약속만으로 믿음을 줄 수 없습니다. 우리 대구는 예로부터 노사와 민정이 머리를 맞대고 함께하는 전통이 자리 잡고 있었습니다. 노사평화 도시를 만들기 위해 일주일에 한 번 시장과 부시장이

롯데케미칼 수처리 대구공장 기공식

노조 지도자를 만나 대화를 해왔습니다. 또한 우리는 '노사민정 평화 대타협선언'을 하거나 해외 기업 유치를 위해 외국 출장을 갈 때도 상공회의소 회장과 한국노총 의장이 동행하면서 '노사평화의 도시'라는 것을 널리 알려왔습니다. 이런 우리의 노력이 있기에 믿음을 가지고 대구로 올 수 있었던 것입니다.

우리 손으로 만든 '기업 하기 좋은 도시'

우리는 기업 하기 좋은 환경을 만들기 위해 전방위로 노력해왔습니다. 그 가운데 하나가 우리 대구를 신기술과 신사업을 위한 테스트베드로 제공하겠다는 전략입니다. 테스트베드 전략의 핵심은 기업에 매력적인 인센티브 제공, 신기술의 과감한 적용, 그리고 초기 시장을 제공하는 것입니다. 각종 산업클러스터를 조성해 기업 활동에 필요한 장소부터 인재와 인프라를 제공해왔고 대규모 투자의 경우 총 투자금의 50% 이내에서 보조금을 지급하고 지방세를 감면해주는 등 할 수 있는 모든 지원을 아끼지 않았습니다.

대구 국가물산업클러스터 입주기업에는 그 기업의 신기술과 신제품들을 과감히 구매해서 대구시가 운영하는 상하수도 시설에 도입했습니다. 그 기술과 제품을 수년간 테스트하면서 인증을 받아 해외에 나갈 수 있도록 도왔습니다. 또한 1톤 전기화물차를 개발하면 쿠팡을 비롯한 택배회사에 사용할 수 있도록 판로를 확보해주는 등 개발한 뒤 제품 판매까지 시에서 함께 고민했습니다. 대구 기업이 중국 물 시장에 진출할 때도 대구시가 보증을 서주면서 적극적으로 나섰습니다. 우리가 기업의 판로 확보와 해외 진출까지 전폭적으로 지원하고 나섰기에 과감하게 대구에서 사업을 시작할 수 있게 된 것입니다.

기업 하나하나의 입주가 의미 있는 것이 아닙니다. 우리가 중앙정부나 대통령에 의존해서 기업을 건네받은 것이 아닌 스스로 좋은 환경을 만들어 오게 했기에 의미가 큰 것입니다. 그만큼 대구가 기업이 자리잡기에 매력적인 도시로 인정받았다는 뜻이기 때문입니다. 단지 일회성 이벤트가 아니라 앞으로 또 다른 기업들이 대구로 올 가능성이 있다는 말이기도 합니다.

대구의 테스트베드

신천하수처리장

매곡정수사업소

첨단의료복합단지

북구

달성군

동구

문산정수사업소

달서구

수성구

서부하수처리장

수성의료지구

드론집적단지

달성군

테크노폴리스 스마트그리드

블록형 마이크로그리드

자율주행시험장

국가산업단지 물산업클러스터

신성장의 동력 산업단지

단 지	분 야	진행 경과	위치 및 규모
국가산업단지	미래형 자동차, 물산업, 전자, 통신, 기계 분야	158개 기업 입주 확정	달성군 구지면 일원 855만 제곱미터 (258만 평)
테크노폴리스	로봇, 전자, 통신, 기계 분야	89개 기업 입주 확정	달성군 현풍·유가면 일원 727만 제곱미터 (219만 평)
첨단의료복합단지	의료연구 분야	115개 기업 입주 확정, 국가지원기관 15개 입주 확정	동구 신서동 일원 105만 제곱미터 (31만 평)

수성알파시티	의료, IT, SW 등 지식기반서비스 산업 중심의 SW융합클러스터	35개 기업 입주 확정	수성구 대흥동 일원 122만 제곱미터 (37만 평)
금호워터폴리스	산업, 주거, 업무, 유통이 결합된 미래형 복합단지	금호강변-종합유통단지-검단산단 연계 명품복합단지	북구 검단동 일원 114.5만 제곱미터 (34만 평)
율하도시첨단산업단지	지식, 문화, 정보통신 등 첨단업종 산업단지로 개발	도시첨단산업단지계획 승인고시 (2017년 12월 29일)	동구 율하동 일원 167,000제곱미터 (5만 평)

지금 대구 전역에는 저마다의 뚜렷한 목표를 가진 산업단지가 들어서고 있습니다. 신성장 동력의 거점 공간으로 거듭 태어나도록 박차를 가하고 있습니다. 지금은 시작에 불과합니다. 앞으로도 많은 기업들이 찾아드는 도시가 되도록 좋은 토양을 가꿔나갈 것입니다. 부디 더 많은 더 좋은 기업들이 대구로 모여들어 우리 청년들에게 희망의 빛이 되길 바랍니다.

2

대구가 먼저 준비한 4차 산업혁명

대구 경제의 새로운 판을 짜다

취임하고 가장 시급하게 다가온 것은 아무래도 침체된 경제였습니다. 20년 넘게 1인당 지역내총생산GRDP 꼴찌에다 청년들이 떠나는 도시. 대한민국 산업화의 중심 도시로 나에겐 꿈의 도시였던 대구가 어쩌다 이렇게 변한 건지 씁쓸하기만 했습니다. 어디서부터 잘못됐는지 깊게 생각해보았습니다.

1980년대 중반 이후 대한민국 경제는 크게 변화하고 있었습니다. 지식기반산업과 정보통신산업으로, 또 반도체로 급변했습니다. 그러나 우리는 신산업을 키우는 대신 1970·1980년대 우리에게 부와 일자리를 가져다준 섬유산업에만 심취해 있었습니다. 섬유산업이 승승장구했기 때문에 새로운 산업을 개발할 필요성을 느끼지 못했을 것입니다. 그렇게 우리는 미래산업에 대비하지 못한 채 잃어버린 10여 년을 흘려보냈습니다. 하지만 노동집약적인 섬유산업은 시대의 역풍을 맞고야 맙니다. 1990년대에 들어서면서 대구의 산업을 이끌던 제일합섬, 한일합섬, 동국방직, 갑을방직 등 기라성 같은 섬유회사들이 무너지고 급기야 제일모직까지도 대구를 떠났습니다. 우리의 자랑스러운 섬유산업이 흔들리면서 대구의 경제도 흔들리고야 말았습니다. 1997년 IMF는 대구 경제를 뿌리채 흔들었습니다. 전국을 누비던 대구 건설회사인 우방, 청구, 영남, 보성 등이 연이어 무너졌습니다.

그나마 다행인 것은 북성로의 공구골목과 오토바이골목 등이 말해주듯이 오랜 역사와 전통을 자랑하는 뿌리 산업의 탄탄한 기반 위에서 부품, 기계, 금속 등 제조업이 대구의 주력산업으로 자리 잡고 있었다는 것입니다. 물론 섬유산업도 여전히 우리 대구의 중요한 산업임이 틀림없습니다. 하지만 기존의 산업들만으로 청년들에게 미래를 이야기할 수 있을까요? 그리고 이들 산업이 10년, 20년 후에도 지속 가능할까요? 장담할 수 없는 일입니다.

지금 눈앞에 있는 것들만 열심히 한다고 장밋빛 미래가 오는 게 아닙니다. 열심히 일하는 동안 세상은 급변하고 새로운 산업은 자꾸 탄생합니다. 그러다 보면 어느새 세상은 멀찌감치 앞서 나가버리고 맙니다. 우리 대구가 처한 상황이 꼭 그랬습니다. 우리의 자랑 섬유산업을 중심으로 각자 위치에서 열심히 일했지만 세상이 우리를 앞질러버린 것입니다.

더 이상 과거의 영화만을 되새김질할 수는 없습니다. 바야흐로 도시 경제에 새로운 판을 짜야 할 때! 어떤 산업을 성장시켜야 할 것인가, 미래를 준비하기 위해 진지하게 고민했습니다. 현재 유망한 산업을 따라 하는 것으로는 이미 뒤처집니다. 세상을 따라가기에 급급해서는 안 됩니다. 앞으로 10년 20년 뒤에 주목받을 미래산업을 선도하는 것, 그것이 대구의 경제 위기를 극복하고 미래를 열어 갈

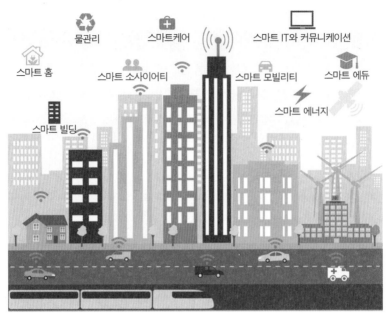

물관리 ♻️

스마트케어 💼

스마트 IT와 커뮤니케이션 💻

스마트 홈 🏠

스마트 소사이어티

스마트 모빌리티 🚗

스마트 에듀 🎓

스마트 에너지 ⚡

스마트 빌딩

첨단 스마트 기술들이 집약된 스마트시티

분명한 희망일 거라고 확신했습니다.

대구가 선택한 미래전략산업!

산업구조를 혁신해야 한다고 결심했을 때 반대하는 사람들도 많았습니다. 산업구조를 바꾼다는 게 4년 임기 안에 도저히 성과가 나지 않을 텐데 괜찮겠냐, 재선하기 어렵지 않겠느냐며 만류하기도 했습니다. 새로운 산업을 키우겠다는 불확실한 도전에 집착하지 말고 차라리 있는 산업에 집중하라는 이야기도 들었습니다. 하지만 기존 산업만 붙잡고 있는다고 미래가 달라질까요? 지금 이 상태대로라면 점점 더 어려워질 텐데 시장을 두 번 하는 게 무슨 의미가 있을까요?

새로운 산업에 투자해야 기업을 유치할 수 있고 그래야 청년들을 위한 일자리도 늘고 미래가 열립니다. 좌고우면할 여유가 없었습니

「대구 IoT 테스트베드」구축을 위한 상호협력 협약 체결

2016. 3. 28(월) 11:00 △대구광역시 SK telecom SAMSUNG 삼성전자 대구창조경제혁신센터

삼성전자, SK텔레콤과 사물인터넷 테스트베드 도시가 되기 위한 협약

다. 미래산업을 키워야 했습니다. 그중에서 물, 에너지, 첨단의료, 미래형 자동차, 로봇, 사물인터넷IoT을 선택했습니다. 대구의 오랜 역사 속에 축적된 기술과 인력을 바탕으로 대구가 잘할 수 있고 대구라서 가능한 미래 사업들이기 때문입니다.

물이 부족한 이 시대. 당연히 물산업이 중요하겠지만 왜 하필 대구에 물산업클러스터를 조성해야 하는 걸까요? 우리는 몇 차례 물 위기를 겪으면서 가진 노하우가 있습니다. 과거 섬유산업의 오폐수로 금호강은 '죽음의 강'으로 불렸습니다. 하지만 우리는 지난 20년간 4조 3,000억 원가량의 막대한 재정을 투입해 오염된 강을 생태 하천 복원율 1위 강으로 바꿔내는 저력을 보였습니다. 낙동강 페놀 오염사고[1]로 물 관리의 중요성을 깨닫기도 했습니다. 이처럼 오랜 기간 우리가 습득해 온 물 관리와 물 재처리 노하우가 있기에 물산업클러스터는 분명 가능성이 있습니다.

세계 물 시장도 급격히 커지고 있습니다. 현재도 세계 물 시장은 반도체 시장보다 훨씬 큽니다. 앞으로 성장 속도도 꾸준히 증대될 것입니다. 대구의 물산업이 오염된 물 환경을 복원시키고 나아가 인류가 직면한 물의 위기를 극복하는 중심에 설 것이라고 확신합니다.

　첨단의료산업 분야도 하루아침에 꾼 꿈이 아닙니다. 대구는 인구 10만 명당 병원·의료진·의과대학생 수가 가장 많은 도시입니다. 그 풍부한 인적 인프라 위에서 제약, 의료기기, 의료관광을 선도하는 '메티컬 시티medical city'를 준비하려는 것입니다.

　사물인터넷 산업도 마찬가지. 대구에는 디지털 맵을 잘 만드는 꽤 탄탄한 소프트웨어 기업이 많습니다. 또 삼성전자와 SK텔레콤의 중견 간부 이상에 대구 출신이 많습니다. 그것은 우리 대구가 경북대학교 전자공학과를 중심으로 대한민국 IT 인력을 키워온 산실이기 때문입니다. 게다가 한국정보화진흥원, 한국교육학술정보원이 대구에 있습니다. 또 제가 취임한 뒤 정부의 제3통합전산센터도 유치했습니다. 이 자산들을 이용해 대구시를 '사물인터넷IoT의 테스트베드'로 삼아보려고 합니다. 이미 삼성전자와 SK텔레콤이 시범 사업을 시작했습니다. 전기차, 에너지, 첨단의료 모두가 사물인터넷으로 연결될 것입니다.

3

미래기술의 아이콘 미래형 자동차

자동차 부품 도시의 생존 전략

대구는 우리나라 100대 자동차 부품 기업 중 11개사를 가진 자동차 부품 사업의 메카입니다. 엔진 중심으로 2만 개가 넘는 자동차 부품들을 생산하며 승승장구해왔습니다. 하지만 디젤이나 휘발유 차량이 사라지고 전기자동차로 싹 바뀐다면 어떻게 될까요? 기존 엔진과 내연기관 등 부품에만 초점을 맞춰왔던 부품 기업들에는 청천벽력과도 같은 일일 것입니다. 하루아침에 기업은 경쟁력을 잃고 일자리는 사라지게 될지도 모릅니다. 그러다 보니 모두 자동차 시장이 바뀌는 것이 두렵고 최대한 피하고 싶다고 입을 모았습니다.

하지만 전기자동차 시대를 막을 수 있을까요? 예전에도, 지금도, 그리고 앞으로도 산업은 시대에 따라 변화합니다. 꼭 전기자동차가 아니더라도 언제고 또 다른 자동차가 기존의 자동차를 대신하고 나설 것입니다. 전기자동차를 비롯한 미래형 자동차 시대가 거부할 수

없는 흐름이라면 오히려 그 시대를 앞장서 이끌어보는 건 어떨까?

앞으로 자동차 시장을 선도할 전기자동차와 자율형 자동차에 맞는 부품을 미리 개발하고 연구해놓는다면 오히려 위기를 기회로 바꿀 수 있지 않을까요. 우리 자동차 부품 기업이 생존하고 앞으로 더 크게 발전하기 위해서라도 미래형 자동차를 적극 받아들이고 그에 발맞춰 대비해야 한다고 판단했습니다.

미래 차의 결정판 대구 국제 미래자동차엑스포

2017년 11월 우리는 미래형 자동차들을 한눈에 볼 수 있는 축제의 장을 마련했습니다. 중국의 전기차 강자 BYD에서 내놓은 서울에서 부산까지 무충전 주행이 가능한 전기버스, 무게 증가 없이 배터리 용량을 늘려 주행거리를 절반 가까이 늘린 르노삼성의 신형 자동차, 현대의 차세대 수소전기차, 그리고 국내 모터쇼에는 모습을

대구 국제 미래자동차엑스포에 참가한 지역의 선도기업 대영채비(주) 전시관

보이지 않았던 콧대 높은 테슬라까지. 우리는 121개 기업 참가를 이끌어내며 국내 최대 규모의 '국제 미래자동차 엑스포'를 성황리에 개최했습니다.

우리는 미래 도시를 책임질 전기버스와 전기차를 직접 시승하는 공간을 마련했습니다. 동대구역에서 행사가 열리는 엑스코까지 운행한 셔틀버스 역시 전기버스였습니다. 거리를 누비는 전기버스를 보며 미래형 자동차가 우리 삶에 들어올 날이 머지않았음을 절감했습니다.

전기자동차 외에도 전 세계의 미래형 자동차들을 한눈에 만날 수 있었습니다. 완성차 업체뿐 아니라 부품업체와 튜닝업체까지 참가해 다양한 볼거리를 제공했습니다. 더 고무적인 것은 우리 지역 부

품회사들이 대거 참여해서 각자 자기 영역에 맞는 미래형 자동차 신부품 기술을 전시하고 앞으로 더욱 기술을 발전시켜나가겠다는 의지를 보여준 것입니다. 3년이라는 짧은 기간 시장의 흐름을 미리 읽고 준비해온 자랑스러운 지역 기업들의 열정과 노력을 통해서 새로운 미래를 보았습니다.

세계 전기자동차 시장은 고속성장 중

세계에서 전기자동차를 주목하는 이유는 뭘까? 첫 번째는 친환경적이기 때문일 것입니다. 이산화탄소CO_2 제로 자동차의 매력 때문에 대기오염으로 골머리를 앓고 있는 중국 정부에선 친환경적인 전기자동차를 적극적으로 생산 보급하고 있습니다. 그동안 경유 자동차에 엄청난 투자를 했던 미국과 유럽 역시 전기자동차 개발에 박차를 가하는 상황입니다. 기후환경협약에 따라 이산화탄소가 발생하는 화석연료를 줄여나가야 하는 만큼 세계는 친환경적인 전기자동차로 하나둘 전환해나가는 추세입니다.

전기자동차는 우리 대구의 미래이기도 합니다. 대구는 분지 도시이다 보니 미세먼지 순환에 어려움을 겪어왔습니다. 미세먼지의 주

시범 운행에 들어가는 전기택시 시승

범 중 하나인 자동차 배기가스를 줄인다면 보다 쾌적한 환경에서 살
수 있지 않을까요? 건강한 도시를 위해서라도 발 빠르게 움직여야
했습니다.

앞서나간 전기자동차 보급

저부터 전기자동차를 타기 시작했습니다. 새로 도입하는 만큼 이
용에 불편한 점이 무엇인지 직접 타보면서 확인해보기로 한 것입니
다. 가장 불편한 것은 충전할 공간이 부족하다는 것이었습니다. 전기
자동차 보급과 함께 공용 충전기도 함께 확충했습니다. 2014년 14
대에 불과했던 전기자동차는 2017년까지 2,441대를 보급했고 1기
뿐이었던 공용 충전기도 384기로 늘렸습니다.

그 결과 제주와 서울에 이어 우리 대구는 전기자동차 보급 순위
3위를 달리고 있습니다. 2019년이면 서울을 앞질러 제주를 제외하
고 가장 많은 전기자동차를 보유한 도시가 될 것입니다. 공용 충전
기 역시 2020년까지 500기로 확충할 예정입니다. 2030년까지 대
구 자동차의 절반인 50만 대를 전기차로 보급하는 것이 목표입니
다. '탄소 제로' 시대를 대구가 앞장서 열어 갈 것입니다.

2018년 하반기부터 양산되는 국내 최초 전기화물차 칼마토Calmato

국내 최초 1톤급 전기상용차 생산

우리는 국내 최초로 1톤급 전기상용차 생산을 추진하고 있습니다. 급변하는 자동차 시장에서 대구의 미래를 위해서는 부품산업도 시만으로는 한계가 분명합니다. 전기자동차 시대에는 대구가 가진 놀라운 부품 밸류체인을 바탕으로 완성차 생산도시로 전환해야 한다고 생각했습니다. 지금 대구는 두 가지 프로젝트를 추진하고 있습니다.

하나는 기존의 1톤 화물차를 전기자동차로 개조해서 생산하는 것입니다. 이를 위해 울산에 있던 자동차 부품기업인 (주)디아이씨가 (주)제인모터스로 독립해서 대구로 이주해왔습니다. 대구 국가산업단지 내 4만 212제곱미터 부지에 연건평 1만 7,589제곱미터 규모의 전기화물차 생산 공장 건립을 마치고 이미 15대의 시범차량을 제작했습니다. 2018년 하반기에는 연간 3,000대를 목표로 본격적인 양산에 들어갈 예정입니다.

또 다른 하나는 대구형 1톤 전기화물차를 개발 생산하는 것입니다. 이는 지역 중견기업인 대동공업을 주관기업으로 삼고 르노삼성자동차, LG전자, 포항공대와 자동차부품연구원, 자동차안전연구원

등 국내 최고 수준의 기업과 연구기관으로 컨소시엄을 구성했습니다. 지금 이 순간에도 컨소시엄의 최고의 연구진은 1톤급 경상용 전기자동차 개발에 매진하고 있습니다. 2017년에 제작한 기본 콘셉트 차량에 추가 성능 향상과 인증을 거쳐 최종적으로 개발이 완성되는 시점을 2018년으로 잡고 있습니다.

우리는 이 두 가지 프로젝트를 성공시키기 위해 미래형 자동차 선도기술 개발에 4년간 247억 원을 들여 전기화물차 연구개발을 지

자율주행 기능을 갖춘 최신형 전기차 테슬라 모델 S

원하고 있습니다. 또 정부와 국회를 설득해서 화물자동차 운송사업법 개정도 추진하고 있습니다. 새로운 차량을 개발할 때는 과연 얼마나 판매될 것인지 걱정이 뒤따르게 마련인데요. 우리는 사업 구상 단계에서 이미 롯데글로벌로지스와 쿠팡 등 국내 굴지의 택배회사와 협약을 체결해 판매망을 확보해놓았습니다. 대구에서 개발한 경상용 전기자동차가 우리 대구의 발을 넘어 전국을 누비는 그날이 멀지 않아 보입니다.

우리의 삶을 바꿀 자율주행차

달리는 자동차 안에서 회의하고 카드게임을 즐깁니다. 운전석에는 사람이 없습니다. 또 자동차의 이름을 부르면 차가 알아서 주인 앞으로 달려와 멈춥니다. 영화 속에서나 일어날 법 한 일들이 현실이 되고 있습니다.

우리가 주목한 또 다른 미래형 자동차는 자율주행자동차입니다. 세계적인 자동차 기업 테슬라의 자동차 중에는 자동으로 차선을 바꿔주는 기능이 있습니다. 뒤에서 차가 오는지 안 오는지, 옆에서 끼

르노자동차와 업무협약 체결 후 소형 전기차 '트위지' 시승

어드는지 아닌지 앞뒤 좌우 상황을 다 판단하고 차선을 변경합니다.

현재 우리가 타는 차에도 여러 가지 자율형 기능이 이미 탑재돼 있습니다. 키를 꽂고 돌려서 시동을 거는 대신 스마트키를 지니고만 있으면 버튼 하나로 시동을 켤 수 있는 것도 자율주행의 시작입니다. 크루즈 컨트롤 기능은 액셀러레이터를 밟지 않아도 원하는 속도와 앞차와의 일정한 간격을 자동으로 유지해줍니다. 이런 기술이 진화하다 보면 미래에는 정말 손발을 움직이지 않고도 운전할 수 있는 시대가 올 것입니다.

미래의 시험 공간이 된다

우리는 그 획기적인 미래를 대비하기 위해 적극적으로 나서기로 했습니다. 새로운 것을 받아들이기 위해서는 과감하게 문을 열어야 합니다. 신산업을 육성하려면 적극적으로 지원하고 기업들이 개발할 수 있는 발판을 마련해줘야 합니다. 그래서 대구는 기꺼이 자율주행 자동차의 테스트베드가 되기로 했습니다.

먼저 수목원에서 현풍에 이르는 12.9킬로미터의 테크노폴리스 진

테슬라 전기자동차 공장

입도로와 도심 내 2.35킬로미터를 자율주행자동차가 달릴 수 있는 자율주행자동차 실증도로를 구축하기로 합니다. 현재 자율주행자동차의 센서 인식 범위는 대부분 200미터 내외로 공간적인 한계가 있습니다. 자동차가 도로상의 모든 정보를 스스로 인지, 판단, 제어하는 것은 사실상 불가능한 상황에서 우리가 도로에 구축하는 인프라 시설이 도로정보, 교통상황 정보, 기상정보 등을 5G 기반 차량−사물간 통신$V2X^2$을 통해 자율주행차량에 제공하게 됩니다. 그렇게 되면 사전에 돌발 상황을 예측하고 판단하여 안전하게 주행할 수 있게 됩니다.

또한 국내 유일의 자율주행 원스톱 실증 테스트베드를 구축해 대구를 자율주행 허브 도시로 육성할 계획입니다. 자율주행자동차 핵심기술개발사업과 지역전략산업인 자율주행자동차 육성산업의 추진을 통해 테크노폴리스, 국가산단 및 수성의료지구 일원을 자율주행 규제 프리존으로 지정하게 되었습니다.

자율주행 기능이 탑재된 테슬라 모델 X 시승

르노그룹 아시아·태평양 지역 차량시험센터 구축

또한 우리는 세계적인 자동차 기업 '르노그룹'의 차량시험센터를 지능형자동차부품주행시험장 내에 설치하고 있습니다. 르노그룹은 200여 개 국가에서 850만 대의 차량을 판매하는 세계 4위[3]의 자동차 기업입니다. 앞으로 이곳에서 전기차, 운전자 지원 시스템ADAS, 자율주행 등 첨단 기술을 시험하고 개발할 예정입니다. 이미 대구 주행시험장에서 SM7 LPI, SM6, QM6 등 르노삼성에서 개발한 신차의 기술시험 일부를 진행한 바 있습니다.

이번에 구축하기로 한 '르노그룹 차량시험센터'는 르노그룹이 아시아태평양지역에 최초로 투자하는 시험센터로 차량 시험용 '특수 시험로'와 '유럽형 시험로'까지 설치하여 국내 생산차량에 대한 시험장으로 활용할 계획이며 향후 아시아 태평양지역에서 생산되는 모든 차량들에 대한 시험 센터로도 활용될 것입니다.

세계적인 완성차 도시의 꿈!

대구를 미래형 자동차를 위한 테스트베드로 만들고 전폭적인 지원을 하는 데는 이유가 있습니다. 세계적인 미래형 자동차 기업을 대구에 유치하기 위해서입니다. 하지만 기업이 오려면 세 가지 조건이 필요할 것입니다.

첫째는 연구개발 능력과 인력이고 둘째는 기술을 테스트할 수 있는 시험 장소입니다. 이 둘은 이미 대구에서 진행하는 것들입니다. 마지막 세 번째는 초기 시장입니다. 생산하면 얼마나 팔릴 수 있느냐입니다. 대구는 그 시장을 열 준비를 하고 있습니다. 이미 대구 시민들은 전기차에 대한 강력한 선호를 보이고 있고 최근 전기차 보급률은 전국에서 단연 1위입니다. 대구시에서도 전폭적인 지원을 아끼지 않습니다.

이제 곧 우리 대구는 자동차 부품만을 생산하는 도시가 아니라 완성된 하나의 자동차를 생산하는 도시로 한 발짝 도약하게 될 것입니다. 그 꿈을 실현하는 첫걸음이 바로 1톤 전기상용차입니다. 대구에서 개발한 전기차가 전국을 누비고 세계로 나아가는 광경을 상상하면 어느덧 가슴이 벅차오릅니다.

21세기 블루 골드 물산업

지금 이 시각에도 세계 약 10억 명의 인구가 물 때문에 고통받고 물 때문에 하루 6,000명씩 죽어가고 있습니다. 2025년이 되면 전 세계 인류의 절반가량이 극심한 물 부족에 직면할 것이라는 예측도 있습니다. 환경이 오염돼 깨끗한 물 부족에 줄어들기 때문입니다. 대동강 물을 팔던 봉이 김선달 이야기가 과거가 아니라 현실이 된 지 이미 오래입니다. 품질 좋은 해외 프리미엄 브랜드 생수가 불티나게 팔리고 건강에 좋다는 기능성 물 제품까지 봇물 터지듯 출시되는 시대입니다.

이제 지하에서 깨끗한 물을 찾아 쓰고 댐을 막거나 강물을 쓰는 것으로는 턱없이 부족합니다. 오염된 물을 재생해내거나 그동안 식수나 공업용수로 쓰지 않았던 바닷물을 식수와 공업용수로 바꿔 써야 하는 시대가 온 것입니다. 이러한 세상의 변화는 새로운 산업의 발전으로 이어질 것입니다.

국가물산업클러스터 착공식

　환경오염으로 깨끗한 물은 줄어들었지만 이 세상에서 물 없이 살 수 있는 사람은 없습니다. 따라서 물산업은 그야말로 21세기 경제를 이끌 황금 산업 '블루 골드Blue Gold'로 떠오르고 있습니다.

물기업은 대구로!

　물 관련 기업, 대학, 연구기관, 공공기관을 한데 모으고 물산업의 국제 경쟁력을 확보하기 위한 '국가물산업클러스터'가 세계 물 시장을 선도하기 위한 국가 전략산업으로 대구 달성군 구지면 국가산업단지에 64만 9,000제곱미터 규모로 조성되고 있습니다. 우리 대구가 이 거대한 전략 산업을 유치할 수 있게 된 건 역설적이게도 물의 위기를 통해 얻은 깨달음 때문입니다. 우리는 물이 산업이 되고 돈이 된다는 것을 어느 도시보다 먼저 알게 되었습니다. 지난 30여 년 동안 금호강과 낙동강의 오염사건을 겪으면서 꾸준히 수질 개선에 투자하고 물 문제에 특별한 관심을 가졌기에 가능한 일이었습니다.

정부조차 소극적일 때 우리는 물산업육성계획을 세웠고 이를 대한
민국의 국가전략산업으로 만들어냈습니다.

20여 개 유망 물기업이 대구로! 국가물산업클러스터 조성

국가물산업클러스터에는 물산업진흥시설을 만들고 실험 및 연구
공간은 물론 전문 인력을 양성하는 워터water 캠퍼스와 기술교류 전
시회를 할 수 있는 비즈니스센터가 들어설 예정입니다. 물산업 실증
화 단지에는 상수와 하폐수를 처리하고 재이용 기술과 제품들을 테
스트할 수 있는 '종합 수처리 테스트베드'가 구축됩니다. 이와 함께
국내외 물 관련 강소기업 60개를 유치해서 '기업집적화단지'를 조
성할 계획입니다.

국가물산업클러스터는 2018년 말 1단계 완공을 목표로 하고 있
습니다. 우선 우리는 글로벌 물기업과 경쟁할 수 있는 기술력 있는
강소기업을 유치하는 데 집중했습니다. 그 결과 물산업클러스터 조
성이 끝나기도 전에 국내 물산업 분야 1위 롯데케미칼을 비롯한 20
개 유망 물기업을 이미 유치했고 762명의 고용 창출 효과가 이뤄졌

습니다. 그뿐만 아니라 2018년 기업집적단지가 완료되면 기대되는 생산 효과는 무려 4,300억 원이고 2,500명의 고용유발 효과 또한 예상됩니다.

우리 물기업을 세계로 !!

우리는 입주기업의 해외 진출을 지원하기 위해 전방위로 노력해 왔습니다. 제가 직접 기업 대표들과 함께 중국, 베트남, 미국 등을 수차례 방문하기도 했습니다. 중국에는 대구환경공단 직원 2명을 파견해서 물기업들의 해외 진출을 돕도록 했습니다. 그 결과 입주가 완료되기 전부터 해외 진출이 성사된 기업도 생겼습니다. 2015년 12월 한중 민간기업과 공공기관의 4자 합자계약이 대구시의 적극적인 지원으로 성사돼 향후 100조 원 이상으로 추정되는 중국 물 시장 진출에 교두보를 열었습니다. 민간 기업이 개별적으로 해외 진출에 도전하려면 합작 투자 부담이 있고 외국 정부도 우리 기업을 신뢰하기 어렵다는 문제가 있게 마련입니다. 특히 중국은 관에서 보증하는 기업을 우선시하는 풍토가 있기 때문에 대구시의 보증으로 신뢰도를 높인 것이 중국 진출에 결정적인 역할을 해낸 것입니다.

민관 협약을 통한 한중 합자회사 설립 외에도 해외 진출은 계속됐습니다. 2016년 4월 중국 샤오싱시와 하수처리 업무협약을 체결했고 2017년 4월에는 하수처리장 교반기 118대를 설치했습니다. 우리의 꿈은 단순히 경제적 이익에 머무르지 않습니다. 우리 대구의 물기술로 물의 위기에 직면한 인류를 돕는 것입니다. 2017년 10월에는 국가물산업클러스터 입주기업들이 생산한 제품과 기술로 합동 제작한 일일 400톤 규모의 상수처리시설을 베트남 빈롱성에 기증하기도 했습니다. 이는 우리 기업이 베트남 물 시장에 본격 진출할 수 있는 밑거름이 될 것입니다.

세계가 주목하는 물 중심 도시 대구

대구의 물기업을 해외로 뻗어 나가게 한 교두보를 마련한 계기는 아무래도 2015년 4월에 우리가 성공적으로 개최했던 '제7차 세계 물포럼'의 힘일 것입니다. 전문가들만 참여하는 재미없는 국제행사라는 편견을 깨고 역대 최다 참관객의 참여를 일궈내며, 성공적으로 막을 내렸습니다. 7개국 정상과 100여 명의 장차관 등 168개국 5만여 명의 정부관계자와 기업인이 물문제를 함께 고민하고 해결책을 찾는 자리였습니다. 우리나라의 제안으로 '과학기술과정'이 신설돼 효율적 물관리, 스마트 물관리, 폐수 재이용 기술 등 총 38개의 세션이 열렸습니다. 지역별 물 관련 현안을 논의할 수 있도록 아시아태평양, 유럽, 아프리카, 아메리카 등 7개로 나눠 지역별 현안들을 심도 있게 논의하는 자리를 마련하기도 했습니다.

우리는 세계물도시포럼World Water Cities Forum 개최를 계기로 다양한 국가들과 지속적인 협력관계를 확대해 왔습니다. 대구가 주축

제7차 세계물포럼 개최

이 되어 미국 밀워키, 중국 이싱, 프랑스 몽펠리에, 이스라엘 등 세계
물 선진도시와 함께 세계물도시포럼을 매년 개최하며 물산업 관련
국제협력 사업을 더욱 확대하고 상호교류를 이어왔습니다. 2017년
9월 대구가 주도적으로 운영한 세계물도시포럼에서는 10개국 11개
도시, 3개 기관, 250여 명이 참석해 '세계 물도시 협력선언문'을 발
표하기도 했습니다.

세계로 뻗어 나가는 대구의 물산업

물산업이 발달한 세계 도시들과의 협력 관계는 눈에 띄는 성과로
이어지고 있습니다. 2017년 물산업의 상징적 도시인 미국 위스콘신
주 밀워키시와 자매결연을 했고 네덜란드 프리슬란주와 물 분야 협
약을 체결했습니다. 지역 물기업의 중국 진출 지원을 위해 이미 물

분야 협약을 체결한 중국 이싱시를 비롯해 샤오싱시와 선전시 등과의 협력관계를 확대하고 싱가포르, 이스라엘 등과의 산업협력도 이어지고 있습니다. 우리 대구는 대한민국 물산업을 대표하는 도시로서 세계의 물산업 도시들과 함께 발맞춰나가고 있습니다.

또 하나의 관광명소가 된 국가물산업클러스터

2018년 국가물산업클러스터가 완공되면 세계적 수준의 물산업 지원시설과 함께 60여 개 우량 물산업 기업들이 우리나라 물산업을 이끌게 됩니다. 물산업클러스터에 고도 정수기술 등 세계 수준급 기술이 집약되는 것은 물론이요, 물의 인문적 가치도 더불어 전달하는 상징적 공간이 되도록 가꿀 생각입니다. 이를 위해 전국 최초로 산업단지 경관디자인 가이드라인을 적용했습니다. 세계물포럼을 개최한 도시의 위상에 맞도록 다양한 부가가치를 담기 위해 물의 인문적 가치를 담는 시설과 프로그램을 마련했습니다.

　우선 물과 관련된 좋은 문구들을 활용할 생각입니다. '가장 좋게 잘하는 것은 물흐름과 비슷하다.' '물은 만물을 이롭게 하고 다투지 않는다.' '지혜로운 사람은 물을 좋아하고 즐긴다.' '인격 있는 사람의 사귐은 물처럼 담백하다.' 등 물의 인문학적 의미와 상징을 물산업과 결합시켜 대구 전역을 '워터 밸리'로 만들기 위한 색다른 구상을 하고 있습니다.

　대구 시내를 가로지르는 신천과 금호강에는 멸종위기 야생동물 1급이며, 천연기념물인 수달이 살고 있습니다. 생태계가 매우 건강하다는 증거입니다. 앞으로 10년간 신천을 생태, 문화, 관광이 흐르는 수변공간으로 가꿔나갈 계획입니다. 시민과 관광객이 즐겨 찾는 매력적인 공간으로 만들고 신천부터 금호강과 낙동강까지를 시민들의 공간으로 만들려는 구상입니다.

대구환경공단 신천사업소

　대구는 내륙 분지에 위치한 도시이지만 낙동강과 금호강이 흐르고 도심에 신천이 흐르는 수변도시이기도 합니다. 우리 대구를 첨단기술이 집약된 환경 친화적인 '물 중심 도시'로 만들기 위한 노력은 이미 시작됐습니다.

5

메디시티 대구의 비상!!!

첨단의료복합단지를 글로벌 의료산업의 허브로!

의료산업기업, 개발 인력, 연구시설들이 한곳에 모인 의료산업의 허브가 있다면 어떨까. 국가 차원에서도 신약과 첨단의료기기를 전략적으로 육성하기 위한 종합적 연구 인프라가 필요한 시점이었습니다. 우리 대구가 가진 의료산업의 강점을 살려보기로 했습니다. 인구 10만 명당 병원·의료진·의료 관련 대학 수가 전국에서 가장 많은 곳이 바로 대구입니다. 양한방이 서로 인정하고 존중하면서 협진하고 의사회, 한의사회, 약사회, 치과의사회, 간호사회 등 의료 관련 단체들이 메디시티협의회로 똘똘 뭉쳐 있는 도시입니다. 수십 년간 우리가 구축해온 인프라 위에서 제약, 의료기기 개발은 물론 의료관광까지 선도할 수 있는 메티컬 시티medical city를 만드는 것은 충분히 가능한 일이었습니다.

첨단의료산업의 메카도시, 메디시티로 도약하기 위한 밑그림의

동구 신서동 첨단의료복합단지에 위치한 대구경북첨단의료산업진흥재단 전경

중심에는 첨단의료복합단지가 있습니다. 동구 신서동 대구혁신도시내 105만 제곱미터에 정부지원기관, 연구소, 커뮤니케이션센터와 의료 관련 기업들을 한 곳에 총망라한 곳입니다. 이곳에 한국뇌연구원, 한의기술응용센터, 첨단의료유전체연구소 등 15개 국책연구기관과 대우제약, 한림제약, 명문제약 등 120여 개의 의료 기업을 유치했습니다. 2017년까지 우수한 의료분야 3,000여 명의 고용창출을 이뤄내기도 했습니다.

국가 차원의 핵심 연구지원시설로는 신약 후보물질을 평가하고 공동으로 연구 개발하는 신약개발지원센터와 첨단의료기기를 설계하고 시제품 제작을 지원하는 첨단의료기기개발지원센터와 의약생산지원센터 등 첨단 기자재를 갖춘 연구지원시설이 있어서 첨단 제품 개발에 박차를 가할 예정이고 2020년까지는 임상실험센터와 식약처 산하 대구지방식품의약품안전청이 입주함으로써 임상과 인증 기능까지 갖추게 될 것입니다.

비수도권, 해외 의료관광객 1등 도시

메디컬 시티에 우수한 연구인력들이 결집해 신약과 첨단의료기기 개발에 앞장서고 많은 의료산업 국책기관 및 기업들이 모여들면 우수한 대구의 인재들도 기량을 펼칠 수 있을 것입니다. 그렇다면 우수 인력들이 외부로 빠져나가는 것을 막고 의료의 질을 높일 수 있습니다. 우수한 의료기술은 의료관광객을 불러 모을 것이며 또 지역 관광으로도 이어질 것입니다. 이것이 우리가 그린 메디시티 대구의 모습이었습니다.

이미 우리의 의료기술은 국내외에서 널리 인정받았고 매년 해외 의료관광객이 늘고 있는 추세입니다. 2016년에는 비수도권 최초로 2만 명 이상의 해외 의료관광객을 유치했고 2017년까지 2년 연속으로 해외 의료관광객 2만 명 달성에 성공했습니다. 2009년에 고작 2,000여 명에 불과했던 해외 의료관광객이 매년 2,000여 명 이상 꾸준히 늘어 2015년에는 만 명을, 2016년에 2만 명을 돌파한 것입니다.

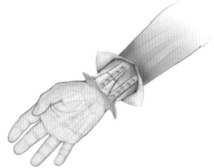

팔 이식수술 5개월 후 프로야구 경기장에서 시구하는 손진욱 씨

특히 2016년과 2017년은 메르스 사태로 병원 출입을 최대한 자제하던 시기이자 사드 배치로 중국 관광객이 급감한 시기였습니다. 이런 악조건 속에서도 해외 의료관광객을 꾸준히 유치한 것입니다. 우리는 이미 가능성을 봤습니다.

국내 최초 팔 이식 성공

가장 중요한 것은 메디시티를 뛰어난 기술로 채우는 일입니다. 우리 뛰어난 의료진들은 국내 최초로 '팔 이식 수술'에 성공하는 쾌거를 이뤄냈습니다. 이 기술은 2017년 2월 보건복지부에서 인정한 신의료 기술로 복합조직인 팔을 이식하고 연결하기 위해 각 분야의 의료인들이 협업해 혈관, 뼈, 근육, 신경 등을 연결하는 고난이도 수술입니다. 영남대병원과 W병원에서 우수한 의료진들이 협진한 결과 국내 최초이자 아시아에서는 두 번째로 팔을 이식해 미세 접합하는 데 성공한 것입니다.

이로써 사고로 팔을 잃고 절망에 빠져 있던 한 30대 청년은 새 삶을 선물받았습니다. 아직도 그날의 감동을 잊을 수 없습니다. 2017년 7월 왼쪽팔을 이식받은 청년이 삼성라이온즈의 홈경기에서 시

구하던 날 많은 대구 시민들도 그 감격을 함께 나누고 뜨겁게 환호했습니다. 다시 희망을 얻은 그 청년은 현재 사단법인 '메디시티 대구' 홍보팀에 입사해 활동하고 있습니다. 자신의 특별한 경험을 토대로 해외 의료 관광객에게 대구 의료의 우수성을 홍보하고 해외 의료관광 활성화를 위한 첨병의 임무를 맡아 제2의 인생을 펼치고 있습니다.

　해외 관광객을 위한 맞춤형 관광

　대구의 탄탄한 의료기술은 이미 검증됐습니다. 그렇다면 어떻게 더 많은 관광객이 오게끔 의료관광 기반을 조성하느냐. 차별화된 의료관광 상품개발과 마케팅이 필요합니다.

　우선 그룹화 된 메디시티를 통해 경쟁력을 강화했고 지역의 의료관광 인프라를 확충하는 데 힘을 쏟았습니다. 모발이식 전용센터, 한방 의료체험 센터, 약령시 에코한방 웰빙체험관 등 직접 둘러볼 수 있는 체험관이 생겼고 많은 사람들이 관심을 가질 만한 의료센터도 확충했습니다. 동산병원에서는 '재건성형센터'를 개소하고 양한

방 통합진흥원인 전인병원을 개원했습니다.

국가별 특색에 맞는 의료관광 상품도 효과를 보였습니다. 대표적으로 일본인들에게는 사상체질의 한방과 약령시를 연계한 상품을 제공했고 중국인 단기 의료관광객들에게는 건강검진결과가 24시간 내 중국어로 번역되는 상품을 제공했고 뷰티에 관한 관심이 높은 베트남 등 동남아 의료 관광객들에게는 성형과 피부미용에 더해서 액세서리 등 뷰티 상품을 연계하기도 했습니다.

또한 의료관광 종합안내 센터를 설치해 관광하는 사람들의 편의를 도왔습니다. 의료관광 창업지원센터를 개소해 더 많은 청년들이 반짝이는 아이디어로 의료관광 분야에 뛰어들 수 있는 장을 열었습니다. 이러한 노력의 결과로 2017년 문화체육관광부 주관 '의료관광클러스터 사업평가'에서는 전국 1위를 차지했고 2010년부터 2017년까지 8년 연속으로 보건복지부에서 주관하는 '해외환자유치 지역선도의료기술 육성사업'으로 선정되기도 했습니다.

해외로 찾아가는 마케팅

대구의 선진 의료를 적극적으로 해외 각지에 알리는 것이 중요하다고 판단했습니다. 이를 전담할 의료관광 진흥원을 설립하고 중국,

베트남, 캐나다, 러시아 등 7개국에 의료관광을 위한 해외홍보센터 15개소도 문을 열었습니다. 지역의 10개 병원이 중국, 베트남, 카자흐스탄 등 해외 진출에 성공했습니다. 이렇게 대한민국의 대표 메디시티 대구의 의료 수준을 적극적으로 알려나가면서 해외 의료관광객 유치를 위한 기반을 다져왔습니다.

이에 더해서 우리의 선진 의료기술을 해외에 전수하고 함께 연구할 수 있는 'K-메디컬 외국 의료인력 통합연수센터' 착공이 초읽기에 들어갔습니다. 중국이나 동남아 등 개발도상국 병원의 의사와 의료기사 피부미용사들을 대상으로 연수 프로그램을 진행할 예정입니다. 이는 외국 의료 인력들에게 우리의 의료 기술을 널리 알릴 수 있는 계기가 되어줄 것으로 기대합니다. 동시에 국내 의료기기·의료제품과 병원들이 해외로 진출할 수 있도록 하는 전진기지 역할도 하게 될 것입니다.

세계적인 메디시티 대구를 만드는 우리의 도전은 계속될 것입니다. 이를 통해 우리는 의료산업이 대구의 청년들에게 꿈과 희망이 되도록 할 것입니다.

의료 서비스에 이은 관광 인프라까지!

그러기 위해서는 차별화된 의료 관광상품 개발이 절실합니다. 다양한 의료 체험 공간과 의료 기술의 질을 높이는 것이 최우선입니다. 하지만 의료서비스 하나만으로 해외에 있는 의료 관광객을 끌어모을 수 있을까. 의료관광 일선에 있는 한 병원장에게 들은 이야기가 있습니다. 대구를 찾는 의료관광객은 주로 중국인들인데 부유한 중국인의 경우에는 대구의 의료진이 중국으로 와서 수술해주기를 원하는 경우가 많다는 겁니다. 이유가 무엇일까. 의료 기술은 좋지만 막상 대구에 와서 며칠 머물면서 마땅히 할 것이 없다는 것입니다.

지금까지 대구를 찾은 외국인 환자들만 봐도 대부분 질병 치료의 목적이 아닌 성형, 미용, 건강 검진 등 힐링을 위한 목적으로 찾아옵니다. 따라서 의료 서비스를 받고 난 뒤 숙박, 음식, 휴양 등의 관광 인프라가 필요하다는 것입니다. 의료 관광객이 오면 우리 지역 관광산업도 함께 활성화할 수 있습니다. 역으로 관광 산업이 탄탄해야 의료 관광객을 잡을 수 있다는 말이기도 합니다.

우리는 대구를 관광도시로 가꾸기 위해 '문화예술의 도시'로, '밤이 더 즐거운 도시'로, '힐링과 미美의 도시'로 새롭게 탄생할 수 있도록 노력하고 있습니다. 또한 통합신공항 건설을 통해 더 많은 나라에서 대구로 편하게 올 수 있도록 하늘길을 열어갈 것입니다. 이 모든 게 이뤄지는 그날을 손꼽아 기다립니다. '대구경북 통합신공항'을 통해 입국한 해외 의료 관광객들이 우리 대구와 경북의 관광지를 둘러보며 멋과 맛을 느낀 뒤 쇼핑을 하고 만족하면서 돌아가는 모습을 하루빨리 보고 싶습니다.

6

일상이 된 로봇과 사물인터넷IoT

세계적 로봇기업을 유치하다

2016년 봄 인공지능 '알파고'가 이세돌 9단과 대결에서 이겨 전 세계를 놀라게 했던 그날을 기억하십니까. 언론에서는 앞다투어 인간을 대체할 수 있는 로봇의 무한한 능력을 보도하고 앞으로는 로봇이 수많은 직업들을 대체하게 될 것이라고 경고했습니다. 급기야 로봇이 인간 고유의 능력이라고 굳게 믿던 글쓰기 등 창조의 영역까지도 해냈다는 소식을 전해왔습니다. 과연 로봇은 어디까지, 사람의 영역을 침범할 것인가. 이 두려움은 사실 한 두 해의 일이 아니었습니다. 1956년 '인공지능'의 개념이 등장한 뒤, 우리는 로봇이 사람의 일자리를 대신하는 것을 수없이 목격해왔습니다. 이제 로봇은 육체노동자가 아닌 지식노동자의 영역까지 접근하고 있습니다.

하지만 두렵다고 로봇을 멀리할 것이냐. 로봇에게 빼앗길 일자리가 두렵다고 피할 수 있는 일이 아닙니다. 두 눈을 감으면 다만 보이

로봇산업클러스터 출범식

지 않을 뿐 다가올 미래를 바꿀 수 있는 것은 아닙니다. 분명 로봇산업은 미래를 획기적으로 변화시킬 전도유망한 산업입니다. 세계 로봇 시장은 연평균 18% 이상의 기록적인 성장을 하고 있습니다. 더 이상 로봇을 두려워하지 말고 로봇산업을 적극적으로 키워나가야 할 시기입니다.

로봇산업클러스터 조성

우리 대구는 미래를 주도하는 로봇산업을 집중적으로 육성하기 위해 로봇산업의 메카가 될 로봇산업클러스터를 이미 조성했습니다. 국비 900여억 원을 포함한 1,400여억 원을 투자해 2017년 6월까지 5년에 걸쳐 로봇산업의 기반을 구축하고 상용화 기술을 개발하도록 했습니다.

로봇혁신센터와 로봇협동화팩토리를 준공해 83종 첨단 장비 121대를 구축했고 기술 사업화 촉진을 위한 다양한 과제들과 40여 건

의 상용화기술 연구개발R&D을 지원했습니다. 더불어 로봇산업클러스터 단지 내외에 39개에 달하는 로봇기업을 입주시켰습니다. 굴지의 로봇기업들은 물론 한국로봇산업진흥원까지 대구의 로봇산업클러스터에 합류했습니다.

이제 우리는 로봇산업의 중심지로 발전할 일만 남았습니다. 향후 5년 동안 로봇산업클러스터 후속사업을 추진하고 로봇안전성평가 기반구축사업을 진행할 예정입니다.

세계에서 손꼽히는 글로벌 로봇기업 유치

로봇산업클러스터를 조성하면서 가장 주목할 만한 것은 세계에서 손꼽히는 로봇기업들을 유치하는 데 성공한 것입니다. 세계 2위의 일본 야스카와전기와 세계 4위를 자랑하는 독일 쿠카로보틱스 그리고 우리나라 1위이자 세계 7위인 현대로보틱스와 협력사들을 대구로 유치하기까지 많은 노력을 기울였습니다.

시가총액이 7조 1,000억 원인 국내 산업용 로봇 생산 1위 기업 현대로보틱스는 본사 자체가 대구테크노폴리스로 옮겨왔습니다. 우리는 '조선업 불황으로 어려움을 겪는 현대중공업이 혁신 차원에서

로봇사업 파트를 분사할 것'이라는 이야기를 듣고 1년 동안 꾸준히 접촉하고 노력했습니다. 사실 대구가 이미 매력적인 로봇산업 인프라를 가지고 있었고 기업 하기 좋은 여건들을 제안했기 때문에 이뤄 낸 결과입니다. 우리는 "원하는 용지를 제대로 제공하겠다, 인력수급이 잘되게 하겠다, 노사평화를 위해 돕겠다."라고 설득했고 약속을 이행하기 위해 물심양면으로 노력했습니다.

IT 산실 대구에서 만드는 스마트시티!

4차 산업혁명의 총아로 여겨지는 '인공지능' 로봇과 함께 또 다른 큰 축을 차지하는 사물인터넷IoT이 주목받고 있습니다. 사물인터넷이란 인터넷이 연결된 모바일 기기와 일상에서의 모든 사물에 다양한 센서를 연결해 실시간으로 사람과 사물을 연결하는 기술입니다. 2017년 1월 다녀온 라스베이거스 국제가전쇼CES는 신선한 충격이었습니다. 첨단기술이 망라된 그곳의 주인공은 가전이 아닌 미래형 자동차, 드론, 사물인터넷 등 4차 산업이었습니다. 이미 사물인터넷

은 우리 삶 속으로 들어왔습니다.

우리는 국내에서 처음으로 사물인터넷 전용망을 개통해 스마트시티를 만들고 있습니다. 저는 대구시를 '사물인터넷의 테스트베드'로 내놓겠다고 대기업들에 공표했습니다. 그 결과 2016년 3월 SK텔레콤과 삼성전자, 2017년 1월에는 KT와 양해각서MOU 체결에 성공할 수 있었습니다. IT 대기업과의 협업을 토대로 사물인터넷 기반 스마트시티로의 도약, 이것이 우리 대구의 또 다른 청사진입니다. 이미 수성의료지구 스마트시티 기본 및 실시설계 용역에 착수했고 2017년에는 자가정보통신망과 전기공사를 마쳤습니다. 2018년까지 5개 분야 13개 서비스를 구축하고 2020년까지는 스마트 비즈니스 센터 건립을 목표로 달리고 있습니다.

왜 사물인터넷 산업을 키우겠다고 했을까요. 대구는 경북대 전자공학과를 중심으로 대한민국 IT 인력을 키워온 산실이며 대구에는 디지털 맵 등 스마트시티의 필수 기술을 보유한 탄탄한 소프트웨어

기업들이 많습니다. 이미 우리가 쌓아놓은 기반이 있기에 충분히 가능할 거라는 믿음이 있었기 때문입니다. 어느 지방자치단체에서도 가지 않았던 새로운 길이지만 우리가 주도한 사물인터넷 혁명이 탄력을 받으면 구체적인 비즈니스로 부가가치와 일자리 창출로 곧 연결될 좋은 기회가 될 것입니다.

무인 상수도 원격 검침

전국 최초로 구축 개통한 사물인터넷 전용망LoRa을 활용해 상수도 원격 검침도 하고 있습니다. 전체 87%가 산지로 이루어져 상수도 검침이 힘들었던 달성군 가창면 전역에 원격 검침을 진행했습니다. 무인 검침이다 보니 사생활 보호는 물론이고 업무 시간을 단축할 수 있었습니다. 또한 유수율은 향상하고 누수율은 감소해 물 자원을 보다 효율적으로 관리할 수 있게 됐습니다. 무엇보다도 국내 최초 국제표준의 사물인터넷 전용망을 활용해 완전 무인 원격 검침 서비스를 시도해 새로운 비즈니스 모델을 발굴한 것에 의미가 있습

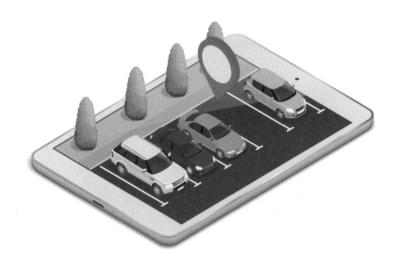

니다. 앞으로도 대구시를 테스트베드로 하는 SKT와 AMI 전문기업의 컨소시엄은 더 넓은 세계로 뻗어 나갈 것입니다.

시민이 몸으로 느끼는 스마트시티

대구 시민들의 애국심과 자존심의 상징인 국채보상운동기념공원. 세월이 지나면서 시민들에게 잊혀져 왔던 이 역사적인 공간이 되살아났습니다. 4차 산업혁명의 핵심기술을 활용해 더 밝고 안전한 시민들의 공간으로 탈바꿈했습니다. 2016년부터 약 1년여의 공사 끝에 국내 최초로 표준 스마트 공원 모델을 구축한 결과입니다.

우선 국채보상운동을 기리는 뜻으로 공원 전역에 무료 와이파이를 구축하고 증강현실을 통해 재미있게 볼 수 있는 역사교육 콘텐츠를 마련했습니다. 태양광 벤치에서는 편하게 쉬면서 휴대폰 충전까지 할 수 있습니다. 새로 설치한 스마트 쓰레기통은 자동으로 쓰레기 적재량을 체크해 압축하고 알람으로 알리는 기능은 물론 화재감지까지 가능합니다. 그뿐만 아닙니다. 관리자의 제어 없이도 스스로 조명 밝기를 조절해 전력 낭비를 막는 스마트 가로등, 위험요소

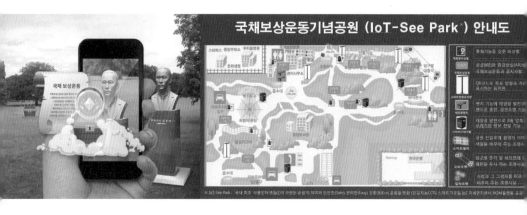

를 스스로 학습해 감지하는 인공지능 CCTV, 위치 확인이 가능한 대화형 비상벨까지. 우리의 자부심이 숨쉬는 국채보상운동기념공원이 세계 최고의 최첨단 스마트 공간으로 재탄생한 것입니다.

  이처럼 시민들이 삶 속에서 체감할 수 있는 스마트시티를 만들기 위해 노력하고 있습니다. 야외에서도 주차공간을 실시간으로 볼 수 있는 '스마트 파킹'을 국채보상운동기념공원 등 공용주차장 36개소와 다중이용시설에 설치했고 대형 건물과 다중이용시설에는 스마트 소방안전예보 시스템을 구축할 예정입니다. 이러한 스마트시티 사업을 시민들이 참여할 수 있도록 시민 참여형 커뮤니티를 구성하고 운영전략을 수립할 수 있는 소통의 장도 열었습니다. 이제 우리는 대구 시민들의 애정 어린 관심과 더불어 스마트 시대를 주도하는 진정한 스마트시티로 거듭날 수 있을 것입니다.

7

친환경 첨단도시로의 전환!
신재생에너지

에너지 자급도시를 위한 대구의 플랜

에너지 자급도시를 꿈꾸며 에너지 자립률 100%를 향해 달려온 대구. 2015년부터 이미 광역자치단체 최고 수준인 5.0%의 신재생에너지 보급률을 기록했고 에너지경제신문사에서 주최한 2015 대한민국 친환경 부문 종합대상을 거머쥐었습니다.

석탄이나 석유와 같은 에너지 자원의 고갈은 이미 오래전부터 걱정해 온 일입니다. 게다가 에너지자원을 사용하면서 나오는 폐수나 매연 등이 환경을 파괴하는 것을 더 이상 방치할 수 없는 지경에 이르렀습니다. 우리가 산업을 발전시키기 위해서 에너지원은 반드시 필요한 만큼 환경 친화적인 신재생에너지의 도입이 시급한 상황입니다.

환경 문제를 해결할 수 있는 장점은 물론이요, 여러 가지 에너지 자원을 함께 활용하다 보면 보다 안정적으로 에너지 공급을 할 수

있습니다. 한 가지 에너지원에만 매달리다 보면 그 자원에 천재지변 등의 문제가 생겼을 때 해결할 방법이 없지만 다양한 에너지를 활용 하다 보면 어떤 문제 상황이 닥쳤을 때 유기적으로 연동할 수 있기 때문입니다.

에너지 자족도시의 모델, 테크노폴리스

수소, 연료전지, 석탄액화가스 등 신에너지와 태양광, 풍력, 수력, 지열 등 8종의 재생에너지까지. 신재생에너지 활용을 위해 우리는 연료전지발전소를 만들고 마이크로그리드[4], 스마트그리드와 같은 지능형 전력 인프라를 구축하고 있습니다. 기존 정부지원금에 의존 하는 신재생에너지 보급 체계를 탈피해 민간투자방식의 신재생에너 지공급 의무화제도를 활용하기로 했습니다. 중앙정부의 지원을 기 다리기만 해서는 언제 시행할 수 있을지 불분명하기 때문입니다. 미 래의 전도유망한 산업을 꾸려나가기 위해 꼭 필요한 사업인 만큼 우 리 스스로 개척해 나가기로 한 것입니다.

우리는 국가산업단지 입주 업체들을 대상으로 융복합 에너지 시

한전-대구시 신재생에너지사업 상호협력 업무협약 체결

스템을 연계한 블록형 마이크로그리드 비즈니스 모델을 구축해 20% 에너지를 절감할 계획입니다. 국가산업단지 건설 단계부터 하이브리드 에너지저장장치ESS[5] 27메가와트, 융복합분산전원 6메가와트, V2X 테스트베드, 종합정보센터를 구축하고 운영했는데요. 이는 신생 산업단지를 대상으로 한 최초의 에너지 자립 모델입니다. 먼저 이곳의 전력 자립률을 확보한 뒤 대구시 전역으로 점차 확대해 나갈 예정입니다.

공공기관과 에너지 다소비 기업체에는 스마트그리드 시스템과 통합 에너지관리 시스템TOC을 구축하기로 했습니다. 이는 기존 전력망에 정보통신기술을 접목하여 차세대 전력망을 구축하는 것으로 전력 정보를 양 방향이자 실시간으로 교환해 에너지 효율을 최적화시킬 수 있는 효과적인 방법입니다. 2017년까지 143개소를 대상으로 1차 사업을 완료했고 2018년 연말까지 430개소 수용가 모집 및 시스템 구축을 완료할 예정입니다.

꾸준히 신재생에너지 비율을 늘려온 결과 지금까지 태양광은

분산전원형 에너지 자족도시로 만들어가는 대구테크노폴리스

2,514개소에 52,161킬로와트, 지열은 83개소에 33,268킬로와트, 소수력 4개소 3,754킬로와트, 연료전지 22개소 11,377킬로와트, 우드칩 1개소에 3,000킬로와트 등을 설치했습니다. 2030년까지는 대구시 전체 신재생에너지 보급률을 25%까지 끌어올리는 것을 목표로 잡고 있습니다.

에너지 자족도시 테크노폴리스

우리는 인구 5만의 복합도시 대구테크노폴리스를 정보통신기술이 융합된 분산전원형 에너지 자족도시로 만들 예정입니다. 우선 연료전지발전으로 생기는 폐열을 부지제공 업체에 공급한 것을 기반으로 국내 최초 신재생에너지와 스마트그리드, 정보통신기술이 융합된 분산전원형 에너지 자족도시로 나아갈 것입니다. 2016년 시작한 이 사업은 2021년을 목표로 달리고 있습니다.

그뿐만 아니라 주민기피시설에 친환경에너지타운을 조성하고 있

연간 25만 7,000킬로와트의 전기를 생산하는 대구시민햇빛발전소 3·4호기 준공식

습니다. 시민햇빛발전소를 건설하고 규제개혁의 하나로 용도지구별 제한을 완화해 신재생에너지 설치보급·확대를 추진한 것입니다. 이산화탄소를 2,000톤 이상 발생하는 에너지 다소비 업체에는 에너지 절약시스템을 구축하고 LED 조명으로 교체했습니다. 취약 계층에 전력 효율을 높여주기 위해 고효율 조명기기 교체와 태양광, 태양열 등 그린홈 보급사업도 확대해 나가고 있습니다.

이렇게 우리는 2025년까지 대구 도심권에 태양광, 연료전지, 풍력 등 신재생에너지 100만 킬로와트 생산과 분산형 발전시스템을 구축하고 스마트그리드 확산과 에너지효율화사업 등으로 대구 전역을 한국형 청정에너지 도시로 탈바꿈하기 위해 달리고 있습니다. 세계적인 친환경 도시로 발돋움할 때까지 그 노력을 게을리하지 않을 것입니다.

8

4차 산업으로 도약하는 섬유산업!

섬유, 브랜드화와 고부가가치가 답이다

미래를 위한 첨단산업에 투자하는 시정을 비판하는 목소리도 있었습니다. 섬유도시 시장인데 왜 신산업만 챙기느냐, 기존 산업들은 다 죽어야 하느냐는 항변도 들었습니다. 첨단산업에 투자하는 것이 결코 섬유산업을 포기하자는 얘기가 아닙니다. 섬유는 여전히 우리 대구의 기반 산업입니다. 3만 명 이상이 종사하고 제조업의 4분의 1 가까이를 차지하는 중요한 대구의 산업입니다. 하지만 섬유산업이 처한 환경은 참으로 어렵습니다. 전체 생산에서 차지하는 비중은 12%대로 떨어졌고 청년 일자리의 비중은 한자릿수에 불과합니다. 지금의 섬유산업만을 가지고 청년들에게 일자리를 마련해줄 수 있을까요?

시민들을 설득하는 시간이 필요했습니다. 새로운 산업을 통해 좋은 기업을 유치하지 않으면 청년들을 위한 일자리를 만들 수 없을

거라고. 지금이라도 시작하지 않으면 10년, 20년 뒤 대구 경제가 더 어려워질 것이 불 보듯 뻔한 만큼 신산업을 육성하는 데 함께해달라고. 그리고 신산업 기술을 섬유에 접목시켜 섬유의 경쟁력을 다시금 살려보겠다고. 우리 대구의 뿌리 산업인 섬유산업을 시대의 변화에 발맞춰 새롭게 바꿔나가기로 한 것입니다.

고부가가치를 노려라

먼저 제직과 원단 중심으로 운영되는 지금의 노동집약적인 섬유산업으로는 다른 나라와의 경쟁에서 이길 수 없습니다. 인건비가 아니라 부가가치로 승부를 봐야 합니다. 새로운 소재를 개발하고 브랜드화 해서 대구만의 강점을 가질 수 있도록 판을 바꿔야 합니다. 같은 의류 소재라도 소방관들의 방화복과 같은 특수소재나 중동 지역을 겨냥한 고급소재 등 다양한 블루오션을 개척해나가야 합니다.

또 대구는 우리나라 침장과 침구류의 주산지인데 대부분 중국의 값싼 원단으로 저가경쟁을 하느라 고부가가치를 올리지 못합니다. 오히려 대구 섬유산업의 강점인 '좋은 원단'을 침장 산업과 연계해서 고급 브랜드를 만들어보면 어떨까. 대구의 감각적인 디자이너들

국내 최대 규모의 염색가공 집적지인 대구염색산업단지

의 패션 감각을 섬유와 접목시키면 어떨까. 대구의 섬유를 바탕으로
디자이너들이 작지만 매력 있는 브랜드를 만들어 보다 높은 부가가
치를 창출할 수 있도록 지원할 것입니다.

물 없는 컬러산업의 시대를 열다

과거 우리의 섬유산업은 경제를 풍성하게 만드는 대신 금호강을
물고기 한 마리 살 수 없는 곳으로 만들기도 했습니다. 도시 한가운
데 위치한 염색산업단지의 오·폐수는 도시환경과 끊임없는 갈등과
충돌을 일으켜 왔습니다. 물론 대구만의 문제는 아닙니다. 티셔츠
하나 만드는 데 소비되는 물은 2,720리터, 한 사람이 3년간 마실 수
있는 물의 양과 맞바꾸는 셈입니다. 섬유 1킬로그램을 염색하려면
150리터나 되는 용수가 필요하다 보니 매년 280억 톤의 물이 섬유
염색에 사용되고 오염돼왔습니다. 섬유산업은 원유와 더불어 전 세
계 환경을 오염시키는 주요 원인 중 하나로 손꼽히고 있습니다.

하지만 국제 환경규제가 강화되면서 컬러산업 시장은 발 빠르게
변화하고 있습니다. 그린피스의 의류제품 디톡스 캠페인과 유해물

질 배출규제 등에 주요 글로벌 브랜드들 대부분이 참여하며 친환경적인 산업으로 전환하고 있습니다. 그 일환으로 지금 세계는 '물 없는 컬러산업'에 주목합니다.

세계의 날염업계는 기존의 아날로그 방식에서 디지털 텍스타일 프린팅DTP 방식으로 빠르게 전환하고 있습니다. 기존 날염공정에서 염안료 배합공정과 스크린 분판 세척공정을 생략해 용수를 대폭 절약할 수 있기 때문입니다. 기존 시스템과 용수사용량 및 폐기물 발생량을 비교한 자료를 보면 디지털 텍스타일 프린팅DTP 시스템을 적용하면 99% 이상의 환경 오염 저감 효과를 볼 수 있는 것으로 드러났습니다.

우리 대구도 '물 없는 컬러산업'으로 전환해 다시 한 번 도약의 계기를 마련하면 어떨까. 먼저 디지털 날염기술 확산을 위한 설비, 잉크, 공정 및 제품화 기술 개발에 박차를 가했습니다. 사업 기간을 5년으로 잡고 '초임계 유체 염색', '디지털 텍스타일 프린팅DTP 멀티패스', '디지털 텍스타일 프린팅DTP 전사' 등 3개 분야를 집중적으로 지원하고 있습니다. 첨단 디지털 날염과 초임계 유체 염색 관련 기술을 개발해 국내 컬러산업이 친환경 공정으로 패러다임을 전환하는 계기를 마련하기 위해서입니다.

또한 디지털 날염, 초임계 유체 염색 관련 연구개발, 기업 지원을 위한 비수계 컬러산업 솔루션센터를 구축하고 장비를 지원하도록 했습니다. '물 없는 컬러산업 통합지원센터'를 우리 지역의 비산 염색산업단지 내에 구축해 더 많은 지역 기업들이 참여할 수 있도록 해 청정 컬러산업 육성을 위한 기반을 마련하기로 한 것입니다. 이 물 없는 컬러산업은 폐수 80%와 에너지 50%를 절약하는 효과는 물론이고 330명의 고용창출과 2,750억 원의 생산 효과가 있을 것으로 기대합니다.

2장

서민이 함께 웃는
디딤돌 경제

1

서민경제를 위한 맞춤형 지원

미래를 먹여 살릴 첨단산업은 더 나은 내일을 위한 투자입니다.

그렇다면 당장 우리 서민 경제를 살리기 위해서는 무엇을 해야 할까요. 우리 대구에 사는 게 자랑스럽고 행복하도록 우리 서민들이 웃을 수 있는 도시로 만들고 싶었습니다. 미래를 위해 투자하고 달려가는 것도 중요하지만 지금 당장, 눈앞에 놓인 서민들의 삶을 동시에 챙기는 것 또한 놓쳐선 안 될 일입니다.

먼저 서민들의 삶의 터전을 들여다보기로 했습니다. 많은 서민들이 뿌리를 내린 전통시장은 침체할 대로 침체해 있었습니다. 어떻게 해야 다시금 활기를 불어넣을 수 있을지 고민했고 또 지원했습니다. 어려운 여건에 있는 소기업·소상공인을 살리기 위한 정책을 제안했습니다. 그리고 우리의 청년들을 지원하고 인재를 육성할 방법을 치열하게 고민했습니다.

서문시장

맞춤형 특화시장으로 전통시장 브랜드화

대구의 전통시장은 무려 151개. 비슷한 모습으로는 누구도 성공할 수 없습니다. 각각의 전통시장마다 특성을 살려 차별화한 끝에 비로소 활기를 되찾을 수 있었습니다.

밤이 야한 '서문시장'과 프랜차이즈 거리 '서부시장'
특히 서문시장은 '야시장'으로 제2의 전성기를 맞았습니다. 젊은층의 입맛을 사로잡은 다양한 먹거리와 '야시장 문화공연'으로 대구의 밤을 대표하는 관광명소로 새롭게 자리매김한 것입니다.
한편 서부시장은 '전통'을 내려놓고 '프랜차이즈 특화거리'로 정착시켰습니다. '오며 가며 맛을 느낀다'는 '오味가味'라는 이름으로 다양한 프랜차이즈를 유치했습니다. 13개의 식당과 2개의 카페 등 인기 맛집이 한곳에 모여 있으니 자연스레 젊은이들이 모여들었습니

서부시장 프랜차이즈 특화거리 개장식

다. 또한 '치맥페스티벌' 등의 행사로 또 한 번 사람들의 주목을 받기도 했는데요. 이렇게 사람들이 찾지 않아 유령화됐던 전통시장이 이제는 매일 2,000명이 찾아오는 특화 시장으로 자리한 것입니다.

서부시장처럼 굳이 전통을 고집하지 않고 기능을 전환한 시장도 많습니다. 빈 점포를 활용해 청년상인의 창업을 지원하는 등 청년몰로 제공한 결과 2016년에는 72명의 청년 상인을, 2017년에는 90명의 청년 상인을 양성해냈습니다.

대구 약령시의 근대골목과 약령시장

주변 문화자원과 연계해 '약령시장'도 활기를 찾아가고 있습니다. 대구는 조선시대부터 우리나라 약령시로 역사와 전통을 자랑해왔습니다. 하지만 한약의 수요가 줄면서 약령시로서의 명성이 사라질 위기에 처하기도 했습니다. 이 위기를 어떻게 극복해야 할까. 인근에 있는 문화자원인 대구 근대 골목 투어와 연계하고 관광객들의 편의

약령시장 전통축제

를 위한 시설을 확충하면서 대구 약령시장은 새로이 떠올랐습니다. 대구에서만 볼 수 있는 독특한 테마 관광으로 사람들의 눈길을 사로 잡는 데 성공한 것입니다.

전통시장을 지켜라! 서민경제 특별 전용지구

전국 최초 서민경제 특별 전용지구 지정

취임하고 2주 만에 칠성시장으로 달려갔습니다. 칠성시장 바로 앞에 식자재마트가 들어왔기 때문입니다. 취임 전부터 결정된 일이 었지만, 많은 상인들은 전통시장이 붕괴한다며 반대하고 나섰고 건물주는 이러지도 저러지도 못해서 난감해하는 상황이었습니다. 저는 절충안을 제안했습니다. 마트가 들어와야 할 자리를 '전통시장 상인들을 위한 공간'으로 전환하면 어떻겠냐고. 상인들의 우려도 불식시키고 임대 수익을 올려야 하는 건물주의 이해도 충족시킬 수 있는 방법이었습니다.

하지만 앞으로도 언제든지 이런 일이 반복될 수 있는 만큼 전통 시장을 지킬 수 있는 대책을 마련해야 했습니다. 많은 고민 끝에 전

국 최초로 '서민경제 특별 전용지구 지정 및 운영 조례'를 제정했습니다. 전통시장 1킬로미터 범위 내에 식자재 마트를 규제하는 권고적 성격의 조례를 전국 최초로 만든 것입니다. 서민들의 삶의 터전에 대형 기업이 운영하는 마트들이 들어서면서 가계의 위협을 받는 서민들을 너무도 많이 목격해왔습니다. 서민들의 사업장을 살리기 위해 애를 써도 소비자들의 발걸음이 마트를 향하는 것은 당연지사. 애초에 방어해야 한다고 생각했습니다. 그래서 점포 수가 100개 이상인 전통시장이나 30개 이상이 밀집된 상점가의 경계로부터 1킬로미터까지 '서민경제 특별 전용지구'를 지정해 보호하기로 한 것입니다. 이로써 대구 전역 145개소의 상권 중 112개소가 보호 구역에 들어갔습니다. 식자재마트와 상품 공급점 진출을 억제함으로써 얻는 매출 증가는 매년 수백억 원 이상이 될 것으로 기대하고 있습니다.

온누리상품권 사세요~

전통시장 지원을 위해 시에서 온누리상품권 판매를 권장했습니다. 매년 2회 설과 추석 명절에 '정기 판매촉진 주간'을 운영한 것입니다. 전국아파트입주자연합회 부녀회 및 상인회와 협력관계를 구축해 판매를 촉진했고 지역 대형유통업체, 지역 선도기업과도 협조체계를 구축했습니다. 그 결과 2017년 판매목표 1,000억 원을 돌파하며 판매이익금이 전국 17개 시도 중 1위를 기록했습니다. 2018년은 1,500억 원을 판매목표로 잡고 온누리상품권 사용을 권장할 계획입니다.

위기에 더욱 빛나는 서민 금융지원

소기업·소상공인 특별 금융지원

지역경제가 어려운 가운데 소기업·소상공인이 위기기업, 위기가정으로 전락하지 않도록 금융지원도 아끼지 않았습니다. 도소매업, 음식 및 숙박업, 수리 및 기타 서비스업 등 경제 어려움이 가중될 친서민업종에 경영안정자금 1,000억 원을 공급했고 기업당 최대 1억 원 이내로 보증금액을 제공하는 '소기업·소상공인 경영위기 극복 특례 보증액'으로 1,000억 원을 지원했습니다. 더불어 중소기업 경영안정에도 4,800억 원을 투자할 계획입니다.

2018년 자금 지원 계획을 세울 때도 소기업과 소상공인을 위한 금융지원은 지속적으로 확대했고 2017년 11월 개소한 '소기업·소상공인 성공지원센터'에서 경영컨설팅과 보증연계로 전주기 맞춤형 종합지원을 추진하고 있습니다.

위기 가정 보듬는 시정

긴급한 위기상황으로 생계곤란에 처한 가구 또는 개인을 우선 보호해 생계 관련 사고를 예방하도록 했습니다. 2014년 5,000여 가구에서 2017년 1만 여 가구까지, 4만 1,790가구에 생계지원 140억 원,

의료지원 112억 원, 교육지원 3,400만 원 등을 지원했습니다. 지원 대상은 주 소득자가 사망하거나 질병에 걸리거나 실직자, 휴·폐업자, 노숙인, 출소자 등으로 기준 중위소득 75% 이하 재산 1억 3,500만 원 이하, 금융재산 500만 원 이하인 사람들입니다. 기존의 기초생활 보장제도 선정기간이 30일이라는 한계를 보완했고 '주 소득자'에 한정하고 있던 실직, 휴·폐업 등 위기사유를 '부 소득자'의 위기까지 확대했습니다.

특히 추운 겨울은 생계가 곤란한 사람들에게는 더욱 혹독한 계절일 것입니다. 우리는 지난겨울에 국가나 지자체 등의 도움이 필요하지만 지원받지 못하는 복지 소외계층을 찾아 나섰습니다. 직접 방문해서 상황을 살피고 도움을 받을 수 있는 기관에 연계해주는 등 복지 사각지대에 놓인 시민들을 발굴하고 지원했습니다.

2

내 집 마련의 꿈 지켜줄게요!

　'인생은 빚잔치'라는 이야기가 무척 씁쓸해지곤 합니다. 대학을 졸업하기 전부터 '학자금 대출' 때문에 빚쟁이가 된다는 청춘들. 학교 다니면서 열심히 아르바이트하고 취업해서 '학자금 대출' 갚고 나면 또 다른 빚이 기다리고 있습니다. 집값 치솟는 현실에서 빚 없이 결혼하기는 쉽지 않습니다. 내 집 마련의 꿈은커녕 전셋값마저 천정부지로 오른 상황. 그러다 보니 10년 20년 빚을 갚고도 내 집 한 채 가지지 못한 서민들이 수두룩합니다. 참 안타까운 현실입니다. 내 몸 누일 집 한 채, 과연 이것이 평생을 노력해도 쉽게 얻을 수 없을 만큼 어려운 일이 되어야 할까요.

　시 재정 사정상 그동안 공공임대주택 공급을 대부분 LH에 의존해 왔습니다. 하지만 서민들이 평생을 건 과제가 '내 집 마련'인 만큼 시에서 보다 적극적으로 개입해야 한다고 판단했습니다. 우리는 주거실태조사를 진행해 2022년까지 공공임대주택 5,000호를 공급하

도록 목표를 세웠습니다.

 2018년부터는 시에서 기존 주택을 매입해 시세의 30% 정도에 임대해 주고 또 시에서 얻은 전셋집을 시세의 30% 정도에 재임 대하는 방식으로 주택 공급에 박차를 가할 것입니다. 사업은 국비 45%와 기금 50%, 입주자의 임대료 5%로 진행되며 매년 250호 이 상을 시에서 나서서 적극적으로 공급하게 됩니다.

 또한 대학생, 사회초년생, 신혼부부 등 청년층의 주거지원을 위해 '청년 매입임대'도 진행할 계획입니다. 2018년에는 50호를 매입해 시세의 30~50% 정도로 임대할 예정입니다. '청년 행복주택' 명목 으로 시세의 60~80%로 임대해 주는 파격적인 주거지원 정책도 마 련했습니다. 부디 이 정책들이 청년층의 주거 사다리 역할을 해주기 를 간절히 바랍니다.

우리가 함께 만드는 착한 경제 도시

사회적경제 전담부서와 통합센터 설치

사람은 누군가와 관계를 맺고 살아가는 사회적 동물입니다. 혼자 살아가는 게 아니기에, '함께' 잘사는 방법을 모색해야 합니다. 주변에 도움이 필요한 사람들에게 우리 시에서 먼저 다가가는 적극적인 '사회적경제'를 실천했습니다. 쪽방촌 지원, 김장 나눔, 서문시장과 함께하는 장터 등 어려운 시민들을 먼저 살펴왔습니다. 그리고 '함께 잘사는 도시, 사회적경제 도시 대구'라는 슬로건 아래 '사회적경제 육성 및 지원에 관한 조례'를 제정하는 등 사회적경제 활성화 시책을 특화시켰습니다.

'사회적경제 지원센터'를 설치하면서 전국 최초로 시민공익활동지원센터와 청년센터까지 통합한 '시민행복센터'를 만들었습니다. 센터들의 협업을 통해 정책집행 효과도 높아지고 세 개의 서비스를 한 곳에서 편리하게 해결할 수 있게 된 것입니다.

대구 사회적경제 민관정책협의회 성과보고 행사

　취임한 해 9월 서울과 강원에 이어 전국에서 3번째로 '사회적경
제과'를 신설했습니다. 사회적기업, 협동조합, 마을기업을 육성 지원
하고 지역공동체 일자리 사업을 지원하는 역할을 해왔습니다. 이후
3년이 지난 2017년에는 750여 개의 사회적기업에서 7,500여 개의
일자리를 창출하는 성과를 보였습니다. 또한 경북대 등 7개 지역 주
요 대학과 사회적경제 활성화 협약을 체결했고 대구가톨릭대학교에
사회적경제 대학원을 설립해 480여 명의 사회적경제 리더를 양성
하기도 했습니다.

사회적기업 생존율 90%의 비결

　우리 대구의 사회적기업은 비교적 흔들리지 않고 잘 버텨왔습니
다. 10년 전 인증받은 사회적기업 73개 중 90%에 가까운 64개 기업
이 살아남았습니다. 일반 창업기업 생존율이 30%에 못 미치는 것과

사회적경제 박람회

비교했을 때 월등히 높은 수치입니다. 하지만 사회적기업들의 가장 큰 문제는 판로 확보입니다. 사회적기업들의 판로를 지원하기 위해 '사회적기업 제품 판매장'을 열었고 한국가스공사 등 36개 공공기관 이 사회적경제 제품 구매 활성화 협약을 체결하도록 했습니다. 또한 사회적경제 종합 유통채널(대구 무한상사)을 설립·운영해 판로를 지 원하고 홍보 및 판촉 프로모션을 하고 있습니다.

　이렇게 사회적기업 제품을 우선 구매하고 착한 소비를 늘리면서 2016년 공공구매액은 101억 원에 이르렀습니다. 이는 취임 초에 비 해 3배 가까이 늘어난 수치이고 사회적기업의 매출은 2017년 12월 31일 기준 511억 8,842만 원으로 역시 취임 초기보다 50% 이상이 늘었습니다.

4

시청에서 올린 착한 결혼식!

 하얀 웨딩드레스를 입은 신부가 처음으로 시청별관 강당에 들어서던 그 순간, 젊은 신랑 신부의 새 출발에 괜스레 가슴이 뭉클해지던 그날이 떠오릅니다. 대여료에 식대까지 수백만 원이 넘게 드는 결혼식을 올릴 여건이 안 돼 고민하던 청춘들에게 특별한 결혼식을 선물한 것입니다.

 결혼식장은 시청별관 강당. 물론 무료로 제공했고요. 열여덟 개의 사회적기업들이 힘을 합쳐 '착한 결혼식'을 추진했습니다. 뷔페 품목은 줄이고 음식 질을 높여 1~3만 원 선에 맞춰 30% 이상 예산을 절감한 '착한 결혼식' 상품을 만들어냈습니다.

 2017년 대구 시청에서는 여섯 번의 착한 결혼식을 치렀고 행정안전부에서 주는 '행정서비스 공동생산 우수상'을 수상했습니다. 무엇보다 인륜지대사를 앞두고 비용 때문에 전전긍긍했던 젊은이들의 짐을 조금이나마 덜어줄 수 있어서 흐뭇했습니다. 앞으로 펼쳐질 삶이 언제고 장밋빛일 수는 없을 겁니다. 하지만 삶이 버거울 때 홀로 외로워하지 않도록 언제나 시민들의 곁에서 든든한 버팀목이 될 것입니다. 우리 청년들의 앞날이 조금 더 수월하도록 험난한 길에 가지를 쳐줄 수 있는 시장이 되겠노라, 다시 한 번 다짐했습니다.

3장

청년 대구를 향한
진격!

청년이 일하는 도시로!

늘어난 일자리

시장으로 취임하면서 '대구의 청년들이 떠나지 않고 이 땅에서 꿈을 실현하도록 만들겠다'고 약속했습니다. 그 약속을 지키기 위해 산업의 체질을 바꾸고 기업을 유치하고 일자리를 만드는 데 모든 역량을 쏟아부었습니다. 청년들의 이야기를 듣고 위로하고 스스로 문제를 해결할 수 있는 기틀을 다지기 위해 열심히 뛰었습니다. 2017년 20대의 순 유출 인구는 2014년에 비해 32.6%, 30대는 75%나 줄어들었습니다.[6] 희망이 보입니다. 대구를 떠나는 청년들이 대폭 줄어들고 있습니다. 하지만 여전히 대구를 떠나는 청년들이 있기에 아직 갈 길이 멉니다.

그동안 대구 경제의 체질을 바꾸기 위해 미래를 이끌 첨단산업에 투자하고 좋은 기업을 유치하기 위해 동으로 서로 뛰었습니다. 제가 직접 나서서 양해각서MOU를 맺고 유치한 기업만 164개, 투자유치

금액으로는 2조 1,000억 원에 이릅니다. 첨단산업의 기반을 다지면서 좋은 기업들이 찾아들고 대구는 서서히 활력을 찾고 있습니다.

서대구 고속철도 역사 건설로 균형발전의 토대를 다졌습니다. 산업단지 입주기업들의 주거와 교통 등 고용환경을 개선하고 고용 친화적인 기업을 지원하고 있습니다. 원스톱 일자리센터와 청년취업 지원기관 간 네트워크도 긴밀히 하고 있습니다. 지금 추세대로 진행되면 2020년 즈음 청년 일자리 문제도 어느 정도 해결될 것입니다. 그래도 긴장의 고삐를 늦추지 않고 더욱더 적극적으로 청년 일자리 문제를 고민할 것입니다.

청년 실업이 사회적인 문제로 떠올랐지만 정작 중소기업들은 인력난에 허덕이는 경우가 많습니다. 튼튼한 중소기업도 많은데 대기업에만 지원자가 몰려들기 때문입니다. 그런데 최근 우리 청년들 사이에서 지역의 기업을 다시 보는 분위기가 일고 있습니다. 대구의 중소기업들을 탐방하며 어떤 일을 하고, 어떤 장점이 있는지 알아보

겠다는 것입니다. 대기업만 좇는 대신 내실 있는 중소기업을 찾으려는 움직임이 내심 반가웠습니다. 대기업에 취업한다고 장밋빛 미래가 보장되는 건 아닐 것입니다. 40대 중반부터 실업을 걱정해야 할지도 모르는 좋은 일자리입니다. 어쩌면 창업에 도전하고 중소기업에서 출발해서 자립하면서 또 다른 소중한 가치를 찾아갈 수 있지 않을까. 누구나 가는 길을 맹목적으로 좇는 게 아니라 나만의 미래 나만의 꿈을 실현할 수 있는 일자리를 찾기를 바랍니다. 그리고 그 과정에 우리도 함께하겠습니다.

청년인턴과 해외체험단

우리 지역 대학생들의 사회 적응력을 높이고 공직 업무 경험을 쌓을 수 있도록 '대구광역시청 청년인턴' 프로그램을 시작했습니다. 신청 대상은 대구 경북소재 대학에 재학 또는 휴학하는 학생들과 대구에 사는 만 29세 이하 청년들입니다. 각 기관 및 부서별로 공지한 모집 조건에 따라 청년들이 각자 원하는 분야에 지원하면 전공이나 적성 등을 종합적으로 판단해서 최종 선발합니다. 2017년에는 겨울

방학, 상반기, 여름방학, 하반기 각 6주씩 네 차례에 걸쳐 250명을 선발했습니다. 2018년에는 더 많은 청년들이 인턴사업에 참여할 수 있도록 450여 명으로 확대할 예정입니다. 시급 9,000원으로 계산한 월급은 200만 원 정도로 인턴 임금으로는 적지 않은 액수입니다. 짧은 기간이지만 공직 경험도 해보고 자신의 적성에 맞는지도 알아볼 수 있으리라 생각합니다.

우리 청년들이 해외를 경험하고 글로벌 마인드를 가질 수 있도록 해외 인턴 프로그램도 운영하고 있습니다. 외국 기업에서 일정 기간 인턴으로 일하면서 전공과 관련된 실무역량도 쌓고 외국어 능력도 향상시킬 기회가 됩니다. 경북대학교 등 7개 대학에서 학생들 50명이 선발됐고 영국, 체코, 미국, 캐나다, 호주, 일본, 중국, 말레이시아 등 8개국에서 6주 동안 인턴으로 활동했습니다. 2016년 해외 인턴십 프로그램에 참여해 일본의 후쿠오카에서 어학교육 및 호텔 현장실습을 마친 한 학생은 이후 간사이공항 여객서비스에 취업하는 성과를 거두기도 했습니다. 글로벌 프로그램이 해외 취업과도 연결될 수 있도록 앞으로 더 치밀하게 설계하고 꾸준히 지원할 것입니다.

방값 걱정 없는 대학생

일자리만큼 중요한 것이 주거 문제입니다. 우리 지역 청년들의 열악한 주거여건을 개선해야 한다는 제안을 받아서 대구시와 한국사학진흥재단이 협력해 '대구행복연합기숙사'를 건립하고 있습니다. 현재 중구보건소 임시청사 자리에 부지 3,917제곱미터, 연면적 1만 7,000제곱미터 규모로 지어질 예정입니다. 기숙사가 지어지면 1인당 공과금과 관리비를 포함한 월 24만 원 이내의 저렴한 가격으로 제공될 것입니다.

2018년 하반기 중에 건축설계와 공사에 들어가 2020년 8월 준공을 목표로 하고 있습니다. 행복기숙사 건립으로 더욱 저렴하고 깨끗한 주거환경에서 우리 청년들이 살 수 있는 그날을 기대해봅니다.

2

창업 생태계를 바꾸다

혁신과 도전의 대구삼성창조캠퍼스

세상에서 환호하는 것을 쫓아가는 것은 이미 뒤늦은 일. 미국 실리콘밸리의 구글, 페이스북, 애플처럼 새로운 분야를 개척하는 '퍼스트 무버First Mover'가 돼야 합니다. 기존의 제품과 기술을 빠르게 모방하는 '패스트 팔로어Fast Follower'가 아닌 시장의 개척자로서 우리 청년들이 더욱 다양한 콘텐츠들을 개발하고 꿈을 펼칠 수 있도록 창업 생태계를 탄탄히 다져야 합니다. 우리는 창조경제단지를 늘리고 창조 인재를 육성하고 창업지원 포털사이트를 구축하는 등 창업 생태계를 완비하고 있습니다. 동대구시장 청년몰, 서문시장 청년존 등의 청년 상인들을 지원하고 청년 사회적기업 육성에도 힘을 기울였습니다.

1996년 제일모직이 대구를 떠났습니다. 섬유도시 대구의 침체를 단적으로 보여주는 가슴 아픈 일입니다. 그 후 제일모직 후적지는 잡

대구삼성창조캠퍼스

초만 무성한 채 20여 년 동안 방치되었습니다. 최근 옛 제일모직부지는 창업 생태계와 문화예술 체험이 공존하는 대구의 랜드마크로 탈바꿈했습니다. 세계적인 대기업 삼성의 창업정신을 기반으로 과학기술과 문화 콘텐츠를 어우르는 테크파크로 거듭난 것입니다. 창조경제혁신센터가 이전해왔고 벤처오피스, 메이커스페이스가 들어온 '벤처창업존'부터 오페라체험관, 공예문화연구소, 디자인스쿨이 있는 문화벤처융합존, 야외공연장, 맛집 등이 모인 각종 편의시설 등 시민들의 휴식공간도 들어섰습니다. 물론 삼성의 역사와 창업 정신을 한눈에 볼 수 있는 삼성존은 대한민국 경제의 살아 있는 역사입니다. 대구삼성창조캠퍼스는 청년 창업의 요람이 되는 동시에 문화와 휴식을 즐길 수 있는 시민들을 위한 문화휴식 공간으로 많은 관광객들이 찾아오는 대구의 관광자원으로 다시 태어났습니다.

이제 창작도 '첨단기술'이다

동대구에 들어선 코리아콘텐츠랩은 창작을 위한 열린 공간과 풍

대구콘텐츠센터

부한 시설을 갖춘, 창작자를 위한 신나는 놀이터이자 연구실입니다. 지역의 순수예술과 첨단기술을 연계한 '융합형 랩'에서 창의적인 콘텐츠를 만들 수 있습니다. 공방에는 3D 프린터가 있어 자신이 디자인한 제품을 시연할 수 있고 스튜디오에는 커다란 거울과 음향 장비가 잘 갖추어져 있어서 청년 예술가들이 자유롭게 공연 연습을 할 수 있습니다. 또한 첨단 카메라 등 창작 활동에 도움이 될 첨단기술 장비도 지원해줍니다. 이처럼 창작 플랫폼을 인큐베이팅할 수 있는 공간을 제공하고 국내외 전문가들을 초청해서 다양한 세미나와 강연을 개최하고 인턴십과 멘토링 프로그램도 운영합니다. 창작 및 창업 프로그램에 참여하는 청년들에게는 창업과 취업의 기회도 제공되고 있습니다.

4차 산업혁명 청년체험단

2018년부터는 '4차 산업혁명 청년체험단'을 꾸렸습니다. 12박 13일 일정으로 진행된 이번 행사는 4차 산업혁명에 관심 있는 대구지역 청년 창업가와 대학생 등 다양한 분야의 청년들 30명이 참여했습니다.

우리 지역 경제성장의 주역이 될 청년들이 신기술, 신제품, 창업문화에 대한 다양한 경험을 쌓고 스스로의 꿈을 실현해 갈 수 있도록 하기 위해 마련한 프로그램입니다. 미국 라스베이거스에서 매년 개최되는 세계 최대의 가전전시회인 'CES 2018'에 직접 참가해서 세계적인 기업들의 신제품을 견학하고 새로운 산업과 기술의 변화를 체험하고 분석하는 활동을 했습니다. 또한 전세계 최고의 창업거점인 실리콘밸리의 기업과 기관을 방문해서 다양한 교육 및 체험 프로그램도 진행했습니다. 구글 등 글로벌 기업 본사와 플러그앤플레이 등 창업지원 기관을 방문했고, 실리콘밸리 한국인 창업가 등과 미팅을 통해 서로의 경험을 공유하고 인적 네트워크를 형성하기도 했습니다. 그때그때마다 참가단은 '햄버거미팅'을 통해 시사점을 토론하고 벤치마킹 전략을 수립하는 시간을 가졌습니다.

귀국 후에는 참가자 전원이 성과보고서를 작성하고 참가자들과 지역 청년들이 참여하는 개방형 보고회를 열었습니다. 또한 참가자 전원에게 활동 증서를 발급해 자부심을 높였고 제1기 '4차 산업혁명 청년체험단' 참가자 커뮤니티 운영을 통해 성과를 축적하고 이를 많은 청년들과 공유할 수 있도록 했습니다. 이렇게 다양하고 새로운 경험을 하게 된 것이 지역 사회의 도움이었다는 것은 우리 젊은이들과 우리 대구에 대한 자부심을 심어줄 수 있는 계기가 될 것으로 생각합니다.

③

실패한 청년에게 재도전의 기회를!

"성공이란 열정을 잃지 않고 실패를 거듭할 수 있는 능력이다."

저는 윈스턴 처칠의 이 말을 무척 좋아합니다. 단 한 번에 성공 가도를 달리게 되는 사람이 과연 이 세상에 몇이나 될까요? 여러 번 시행착오도 겪고 그 허점을 보완하면서 비로소 제대로 된 목표를 달성하는 게 보통의 과정일 것입니다. 그런데 우리 젊은이들에게 단 한 번 도전해서 창업에 성공하라는 건 어불성설이 아닐까요. 하지만 한국에서는 한 번만 창업에 실패해도 실패자로 낙인찍히고, 빚더미에 오르기도 합니다. 뛰어난 인재를 잃기 십상이요, 빛나는 아이디어가 있어도 창업을 주저하게 하는 환경입니다.

반면 이스라엘이나 실리콘밸리에서는 세 번 네 번까지 창업에 실패해도 재도전이 가능합니다. 4차 산업혁명 시대를 이끌어갈 신기술, 소프트웨어, 콘텐츠의 70% 정도를 대기업이 아닌 벤처나 스타트업이 만드는 나라들이 많습니다. 젊은이들의 창업을 제대로 지원

벤처창업학교

하기 때문인데요. 한국이 4차 산업혁명 시대에 뒤처진 건 이런 벤처 기업이 나올 수 있는 창업 생태계를 제대로 조성하지 못해서는 아닐까 반성하게 됩니다.

우리는 재도전이 가능한 창업 생태계를 만드는 데 주력했습니다. 창업 후 사업에 실패해 채무 부담과 신용 문제로 어려움을 겪는 성실한 청년들에게 재기할 기회를 주는 겁니다. 업체당 1억 원 한도 재기 자금을 보증해주고 1년간 1.3~2.2% 이자를 지원하고 특례보증서를 담보로 은행 융자가 가능하도록 했습니다. 30억 원 예산 중에 이미 3개 기업에 11억 원을 지원했습니다.

좋은 아이디어가 있고 충분히 가능성 있는데 단 한 번의 실패로 꿈을 접어야 할까요? 가능성을 가진 젊은이들에게 지원을 아끼지 않아야 합니다. 실패를 두려워해서 주저하는 일이 없도록 과감하게 도전할 수 있는 기반을 닦아줘야 합니다. 그래야 우리의 인재들이 대구를 떠나지 않고 자신의 꿈을 펼칠 수 있을 것이기 때문입니다.

4

청년들이 바꾸는 대구

19세부터 39세를 청년으로 이야기하는 만큼 어느 한 시기 한 부분의 정책만으로는 청년 문제를 해결할 수 없습니다. 학창시절, 졸업 후 취직하기까지의 구직기간, 취업 후 안정화되기까지, 그 후에는 결혼과 주거, 그리고 육아와 교육 등 청년들이 헤쳐나가야 할 어려운 문제는 산적해 있습니다. 따라서 청년정책이 성공하기 위해서는 전주기적인 맞춤형 지원정책이 필요할 것입니다. 우리 청년들이 일찍 취직해서 월급받고 장가·시집가는 '일취월장'이 가능하도록 말입니다.

정부와 지자체가 내놓은 수많은 청년정책에도 불구하고 정작 청년들은 눈에 보이지 않는다고 말합니다. 청년들의 삶의 현장을 직시하지 않고 탁상에서 정책들이 쏟아져 나오기 때문입니다. 청년정책의 중심에는 그 문제를 가장 잘 아는 청년들이 있어야 하는 이유입니다. 청년 문제를 기성세대의 생각만으로 해결하겠다고 나서는 건

한계가 있습니다. 정부나 지자체에서 관심을 가지고 지원을 해 주되 가장 중요한 건 청년들이 스스로 참여해서 해결해나가야 합니다. 대구는 비록 초보 단계이지만 이미 그 첫걸음을 뗐습니다.

청년위원회와 청년정책심의위원회

2015년 전국 최초로 '청년위원회'를 구성했습니다. 청년들의 시정참여 기회를 보장하고 청년들이 주체가 되어 다양한 청년 문제를 찾아서 해결하기 위해서입니다.

청년위원회는 온오프라인으로 신청한 19세 이상 39세 이하의 청년들 중에서 심사를 거쳐 선발된 30여 명의 청년 대표들로 구성되어 있습니다. 청년위원들은 청년정책을 발굴하고 집행하는 과정을 모니터할 뿐만 아니라 다양한 청년들의 목소리를 시정에 반영하는 역할을 담당합니다. 또한 대구지역 청년을 대표해서 광주 등 다른 지역 청년들과의 교류사업도 진행하고 있습니다.

우리는 2015년 12월 청년정책을 제도적으로 뒷받침하기 위해 '청년기본조례'를 제정했습니다. 이 조례는 대구시장으로 하여금 청년정책 기본계획과 시행계획을 의무적으로 수립하도록 하였고 이를 효과적으로 추진하기 위해 청년들로 구성된 청년위원회와 각계 전문가 및 공무원들로 구성된 청년정책심의위원회를 구성하도록 규정되어 있습니다.

또한 우리는 실국별로 흩어져 있는 청년정책을 효과적으로 관리하고 집행하기 위해 '행정부시장'을 단장으로 한 청년정책TF팀을 운영하고 있습니다.

청년정책 전담부서로 '청년정책과'를 만들었지만 청년 업무가 16개 과로 분산되어 있어서 이를 총괄할 컨트롤타워가 필요했기 때문

입니다.

청년정책은 우리 손으로 '청년센터'

청년들의 다양한 아이디어를 모아서 청년정책을 발굴하고 맞춤형
으로 지원하는 '청년센터'. 이곳에서는 다양한 청년들이 직접 청년
정책을 만들고 청년 문제를 해결하기 위해 노력합니다. 청년정책을
연구하는 모임인 '청년ON'에서는 직접 청년정책을 만드는 205명
의 청년ON 위원들이 활동하고 있습니다. 이 청년ON 위원들과 각
부서의 공무원들이 함께 머리를 맞대고 청년정책을 논의하고 새로
운 정책을 발굴합니다. 지난 2년 동안 '청년ON'에서 제안한 청년정
책은 67개, 함께 논의하고 검토한 결과 34건이 채택돼 추진되고 있
습니다. 청년정책을 전담하는 '청년정책과'를 신설한 것도 청년들이
먼저 제안한 일이었습니다.

청년들의 자립을 위해 청년사업장과 청년을 이어주는 사업도 시
작했습니다. 청년 실업 해소를 위한 일자리 매칭서비스인 셈입니
다. 이 외에도 대안 일자리를 발굴하고 청년 자립기반을 확대하도

대구광역시 청년센터 개소식

록 노력하고 있습니다. 청년들의 사회참여를 늘릴 수 있도록 45팀의 '청년커뮤니티 활성화 사업'과 7개 단체의 '청년실험실'을 지원했고 진로를 탐색하고 시민들의 주체성을 향상시켜줄 교육 프로그램도 제공했습니다. '청년학교'라는 이름으로 10개 학과에서 134명이 교육받았고 청년들과 다양한 방식으로 소통하고 사회 참여를 늘림으로써 청년과 지역사회 간의 정서적 차이를 극복해나가고 있습니다.

5

열정으로 채워진 대구 청년문화

일자리 문제 다음으로 청년들이 대구를 떠나는 이유는 '청년문화'의 부재인지도 모릅니다. 대구 하면 흔히 보수적이고 폐쇄적인 문화를 가진 도시를 떠올립니다. 청년들 스스로도 대구를 고담 시티라고 냉소적으로 표현하기도 했습니다. 하지만 지금 대구는 변하고 있습니다. 전국을 넘어 세계에서도 열광하는 치맥페스티벌과 컬러풀 페스티벌 등을 성공적으로 만들었습니다. 서문 야시장과 야경 관광명소들로 밤이 더욱 아름답고 활기차졌습니다. 우리는 청년들이 더 신나게 살아갈 수 있는 다양한 문화를 만들기 위해서 청년들 스스로 대구의 청년 문화를 만들어 갈 기회를 제공했습니다.

청년들이 만든 '청년주간'

청년문화를 만들기 위해서는 청년들만의 공간이 필요했습니다.

대구청년주간

우리는 먼저 경북대 후문, 계명대 앞, 동성로, 동대구로를 '청년문화 특화거리'로 지정했습니다. 청년들의 활력과 열정을 모으는 대표 공간으로 발전시키기 위함입니다. 또한 '청년주간'을 설정해 청년문화 특화거리인 '동성로' 일대에 청년들이 만든 다양한 문화행사를 열었습니다.

대구의 청년들이 직접 기획하고 참여하는 청년이 주인공인 축제. 청년들의 이슈를 공유하고 사회적 공감대를 형성하는 축제. 우리 청년들의 삶에 활력을 더해주는 '젊은 축제'를 만들었습니다. 청춘멘토, 토크콘서트, 청년들의 버스킹 무대와 청년 공화국 퍼레이드를 여는 등의 부대행사와 청년들에게 공감대를 형성할 청년영화제가 열렸습니다. 또한 동성로에서만 열리는 한계를 탈피하기 위해 '어디든 청년주간'을 만들었습니다. 사람들이 많이 찾는 '김광석 거리', '북성로' 등에서도 악기체험과 공연과 청년상담 토크콘서트 등을 개최함으로써 더 많은 청년들이 참여하고 어른들과 청년들이 함께 어울리는 청년주간으로 만들어가고 있습니다.

청년, 대구로! 청춘힙합페스티벌

전국이 스웩~ 대구힙합페스티벌

'힙합'은 자유로움으로 대변되는 청년 문화입니다. 힙합을 통해 청년들이 서로 소통하고 공감할 수 있는 축제의 장이 대구에 열렸습니다. 그동안 힙합 클럽이나 힙합 뮤지션들의 공연은 수도권에 포진해 있었습니다. 그런 힙합을 대구에서 2만 명 이상의 청년들이 함께 즐기는 '대규모 행사'로 열게 된 것입니다.

이 또한 청년들의 제안으로 시작되었고 모든 행사를 청년들이 주관하고 있습니다. 그동안 지역에서 만나기 어려웠던 유명 아티스트를 캐스팅해 공연의 질을 향상시켰고 보다 많은 청년들이 누릴 수 있도록 입장료를 파격 인하했습니다. 수도권에서 보통 7만 원 이상되는 입장료를, 대구시에서 지원해서 청년들의 부담을 2만 1,000원으로 내렸습니다. 힙합축제 기간이면 대구뿐만 아니라 전국에서 청년들이 대구로 옵니다. 무대 앞 자리를 차지하기 위해 축제 전날부

청년, 대구로! 청춘힙합페스티벌

터 노숙하는 진풍경도 펼쳐집니다. '힙합' 하면 '대구'가 떠오를 수 있도록 힙합으로 청년들이 서로 소통하고 공감할 수 있는 '젊은 대구'로 거듭난 것입니다.

또한 청년들을 위한 축제인 만큼 청년들이 직접 기획하고 홍보해 나갔습니다. 이는 청년들이 앞으로 문화공연기획자로 거듭나게 하는 데 도움이 될 것이고 멋진 축제를 직접 만들었다는 자부심과 대구에 대한 애향심을 높이는 효과도 있을 것입니다.

힙합은 잘 알지 못하지만 젊은이들의 축제를 함께 즐기면서 우리 젊은이들의 열정을 느꼈습니다. 이 열정과 패기라면 각자의 삶에 주어진 과제들도 씩씩하게 헤쳐갈 것만 같습니다. 그 길이 외롭지 않도록 꾸준한 관심을 가지고 지켜봐야겠다고 결심했습니다.

4장

소통과 협치로 만든
시민주권시대

위대한 시민정신으로
대한민국을 구하다

국채보상운동과 2·28 민주운동

2018년 2월 28일, 우리가 매년 그 뜻을 기려왔던 2·28 민주운동 기념식이 국가 기념행사로 치러지는 가슴 뭉클한 순간이 있었습니다. 우리 대구에서 일어난 2·28 민주운동 기념일을 국가기념일로 지정하도록 지역 국회의원들이 힘을 모으고 우리 대구경북 시도민들은 물론 서울 광주 등지에서 124만 명의 서명과 청원이 이어진 결과입니다.

2·28 민주운동은 대한민국 건국 이래 최초로 민주개혁을 요구한 저항운동이었습니다. 1960년 2월 28일 이승만 독재정권의 횡포와 부정에 맞선 대구지역의 고등학생들이 분연히 일어났습니다. 이 운동은 3·15 마산의거와 4·19 혁명의 횃불이 된 중요한 사건이요, 우리 대구의 자랑스러운 역사이기도 합니다.

2·28 민주운동뿐만이 아닙니다. 우리는 대구가 오늘의 대한민국

(위) 영호남 시도지사 2·28 대구민주운동 기념탑 참배 (아래) 2·28 대구민주운동 국가기념일 추진 시도민 결의대회

을 있게 한 중심 도시라고 자부합니다. 우리의 오만이 아니라 대구의 역사가 말해주고 있습니다. 일제강점기 때는 독립운동을 통해 민족해방을 위해 치열하게 싸웠습니다. 나라 빚을 백성들이 갚겠노라 나선 국채보상 운동의 시발점이 바로 우리 대구입니다. 이후 3·1 만세운동으로 이어지는 독립운동에도 그 어떤 지역보다 적극적이었습니다. 6·25 전쟁으로 자유 대한민국이 풍전등화의 위기에 처했을 땐

수많은 청년 학도들이 낙동강 전투에서 나라를 지켜냈습니다. 독재정권 치하에서 민주화의 불씨를 당긴 것은 우리 대구의 2·28 민주운동입니다. 수천 년 계속된 가난을 극복하고 우리도 한번 잘살아보자는 시대적 요구가 일어났을 때 새마을 운동의 기치를 들고 대한민국 근대화와 산업화를 이끈 중심 도시도 바로 대구경북입니다. 이렇게 우리는 민족과 국가에게 주어진 시대적인 과제를 앞장서서 해결해왔습니다.

하지만 많은 시민들은 이 자랑스러운 역사를 잊고 살아가는 게 아닐까. 어떻게 해야 다시 한 번 그 역사를 바로새기고 대구시민으로서 자긍심을 가질 수 있을지 고민했습니다. 우리 대구는 불편하고 낙후된 도시가 아니라 지금의 대한민국을 있게 한 자랑스러운 도시라는 사실을 결코 잊지 않도록 말입니다.

자랑스러운 '대구시민주간'

우리 스스로가 우리의 자랑스러운 역사를 함께 기억하고 기념하

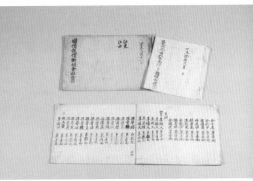
국채보상운동

는 날이 필요했습니다. 그동안 대구 '시민의 날'은 대구직할시가 탄생한 지 100일째 되는 날인 10월 8일로 정해 기념해왔습니다. 조금 아쉬웠습니다. 우리 시민들이 자랑스러워할 만한 대구의 정체성을 기리는 날은 따로 있기 때문입니다. 시민들의 아쉬움도 마찬가지였습니다. 더욱 의미 있는 날로 시민의 날을 변경해야 한다는 의견과 함께 후보에 오른 건 단연, 국채보상운동과 2·28 민주운동이었습니다.

우리는 매년 2월 21일부터 28일까지를 '대구시민주간'으로 선포해 국채보상운동과 2·28 민주운동의 자랑스러운 정신을 계승하기로 했습니다. '대구 알기 가족골든벨' 등을 통해 대구를 바로 알고 자긍심을 높이는 계기를 마련하는 동시에 시민들이 직접 만들고 참여하는 축제의 장을 펼쳤습니다. 국채보상운동이나 2·28 민주운동을 모르는 시민들에게, 그리고 우리 어린이들에게 대구의 자랑스러운 역사를 널리 알릴 수 있게 된 것입니다.

유네스코가 인정한 대구정신

무엇보다 고무적인 것은 국채보상운동 기록물이 '유네스코 세계

기록유산'으로 등재된 것입니다. 국채보상운동은 1907년 일본의 경제주권 침탈에 대응해 나랏빚 1,300만 원을 갚기 위해 국민들이 자발적으로 일어난 시민운동입니다. 남녀노소, 빈부귀천, 도시농촌, 종교 사상을 뛰어넘어 전 국민이 참여해서 국가의 부채를 국민들이 대신 갚겠다는 움직임은 세계사에서도 전무합니다. 그 사상 초유의 애국 운동의 불씨를 우리 대구 선조들이 만들어낸 것입니다.

국채보상운동기록물 유네스코 세계기록유산 등재

이 정신은 1997년 IMF 경제위기 당시 전 국민이 동참했던 '금 모으기 운동'으로 이어져 왔습니다. 우리는 대구의 자랑스러운 역사이자 빛나는 정신인 이 운동을 유네스코 기록유산으로 등재를 추진하기 위한 범시민추진위원회를 구성했습니다. 그동안 국채보상운동기념사업회에서 모아온 국채보상운동 발기문, 취지문, 신문과 잡지 자료 등 2,475건을 체계적으로 정리하고 사료화했습니다.

첫 관문은 국내 대표로 선정되는 것이었습니다. 드디어 2015년 11월 조선왕실 어보와 어책과 함께 국내대표로 선정되어 파리에 있

국채보상운동 유네스코 세계기록유산 등재 축하 기자회견

는 유네스코 본부에 제출했습니다. 유네스코 본부의 심의는 여러 가지 우여곡절이 있었습니다. 위안부 기록물의 기록유산 등재를 막으려는 일본의 치열한 방해가 국채보상운동 기록에도 상당한 영향을 미쳤습니다. 그러나 뜻이 있다면 길이 있다고 했습니다. 유네스코의 발표를 앞둔 일주일 내내 저를 포함한 많은 분들이 밤잠을 설치며 기다렸습니다.

드디어 2017년 10월 31일 새벽 유네스코 본부로부터 '세계기록유산'으로 등재되었다는 기쁜 소식이 전해졌습니다. 대구의 자랑스러운 역사와 정신을 세계가 인정하는 역사적인 날이었습니다.

2

시민의 말은 항상 옳다

010-3795-6899 권영진입니다

새벽 1~2시에도 종종 휴대전화가 울립니다. 술 마시다가 진짜 권영진 시장 전화번호가 맞나 확인하려는 사람들로부터 걸려오는 전화입니다. 때로는 "진짜 맞네요."라고 싱겁게 끊기도 하고 때로는 언성을 높여 항의하고 울면서 하소연하는 사람까지. 다양한 전화가 걸려옵니다. 밤잠 설치는 일은 많지만 숱한 밤을 지새웠을 시민들의 고충을 허투루 하지 않기 위해 졸린 눈을 뜨고 귀 기울이곤 합니다. 제 개인 휴대전화번호를 공개하기 때문에 생기는 일인데요.

시민들의 전화를 기다립니다.

정치에 입문한 뒤 줄곧 휴대전화 번호를 공개했습니다. 010으로 통합되면서 숫자 하나 늘었을 뿐 번호를 바꾼 적도 없습니다. 010-3795-6899. 다시 한 번 제 휴대전화번호를 알립니다. 더 많은 시민들의 이야기를 듣고 싶습니다.

시민들의 제보로 몰랐던 불편함을 알게 된 경우도 많습니다. 버스 정류장에 바람막이가 없어서 너무 춥다는 문자를 받고, 출근길에 바로 달려가 확인했습니다. 바람막이가 없는 게 아니라 반대로 설치돼 있어 효과가 없었던 것입니다. 즉시 시정하도록 했습니다. 이외에도 지하철 출입구의 에스컬레이터 가동시간 문제며 건널목 설치 등 많은 문제를 시민들의 제보로 개선할 수 있었습니다.

지하철로 출근하고 트레이닝복 입고 택시 타는 시장

시민들의 이야기가 궁금할 땐 가끔 지하철을 타고 출근도 하고 택시를 타기도 합니다. 택시를 탈 때는 가능한 한 신분을 감추기 위해 트레이닝복을 입고 모자를 씁니다. "요즘 어때요? 대구 좀 살 만합니까?" 기사님들에게 질문을 던집니다. 이 사람이 왜 이러나 의아해하는 분도 계시지만 열에 아홉은 마치 기다렸다는 듯 힘든 점을 쏟아냅니다. 삶 속에서 느꼈던 답답함부터 어느 승객에게 들었다는 억울한 이야기에 시시콜콜한 이야기까지. 시장의 이름으로 들었던 이야기들과는 또 다른 민낯의 대구를 접할 수 있는 시간이기도 합니다. 처음 취임했을 때는 당황스러울 만큼 부정적인 이야기도 들었습니다. "대구는 안 돼요." "대구는 끝났어요." 자조 섞인 목소리에 마음이 아려왔습니다. 바꿀 수 있다는 희망도 바꿔내려는 의지도 보이지 않았습니다.

이대로 내버려둘 수는 없었습니다. 시민들 자신이 도시의 주인이라는 것을 알려주고 싶었습니다. 시민들이 말하는 대로 생각하는 대로 바꿔나갈 수 있다는 것을 보여주고 싶었습니다. 그래서 시민들을 쫓아다녔습니다. 자꾸 의견을 묻고 시정에 참여할 기회를 연 것입니다.

권영진의 멘토는 시민입니다

사람들은 묻습니다. 왜 그렇게까지 하면서 시민의 얘기를 듣느냐고. 이유는 간단합니다. 세상은 혼자 사는 곳이 아니기 때문입니다. 저 혼자, 시장 혼자서 그리는 청사진만으로는 장밋빛 미래를 그려낼 수 없기 때문입니다. 정치는 자기주장을 하는 것이 아닙니다. 서로 다른 주장들을 하나가 되도록 하고 그것을 현실에서의 가능성으로 만들어내는 것이 바로 정치입니다. 자기주장만 앞세우는 것은 정치의 본령을 망각하고 자기 이해와 아집만 밀어붙여 소모적인 갈등과 분열을 조장하는 일에 불과합니다. 그 어떤 탁월한 지도자라도 '나를 따르라'는 식의 시정은 한계가 있을 수밖에 없습니다.

정치인에게 가장 중요한 멘토는 시민이요, 국민입니다. 개선해야할 것은 무엇이고 어떻게 나아가야 우리 시민과 국민이 행복할 수 있는가. 그 답은 시민과 국민들의 이야기 속에 숨어 있을 것입니다. 그 답을 찾아내는 것이야말로 정치인의 소임이라고 생각합니다. 그래서 저는 최대한 많이 들으려고 합니다. 똑같은 사안도 그 사람이 어떻게 살아왔느냐에 따라 아주 다른 의견이 나오기 때문입니다. 더 많은 사람들의 이야기를 듣고 균형 잡힌 시각으로 시정에 임해야 합니다. 저는 대구시장이 되고 난 뒤 저를 비판하고 지지하지 않았던 분들의 의견을 적극적으로 듣고 시정을 함께 만들어 가기 위해 노력해 왔습니다.

시민이 있는 곳이 곧 시청

현장으로 뛰는 시장

우문현답. '우리의 문제는 현장에 답이 있다.' 이것은 제 오랜 정치 철학 중 하나입니다. 과연 책상 앞에 앉아 서류를 보는 것으로 시민들의 절박함을 알 수 있을까. 절대 그렇지 않기 때문입니다. 시민들이 불편한 곳으로, 억울함이 있는 곳으로 달려가야 합니다. 현장에서 시민들의 절박한 사정을 직접 보고 듣고 느껴야 합니다. 그래야 해답을 찾을 수 있습니다.

책상에 앉아 서류를 통해 시민들의 민원을 확인하는 공무원들이 종종 겪는 오류가 있습니다. 바로 '규정'에 얽매이는 것. 행정을 처리해야 하는 공무원들로서 관련 법과 규정은 당연히 확인해야 할 절차입니다. 하지만 절박한 삶의 문제를 개선해달라는 시민들과 함께 그 문제를 어떻게 해결할지 고민하는 것보다 그 문제를 개선하는 게 규정상 맞느냐부터 확인한다면? 시민과 공무원들 사이 그 온도 차는

어떻게 극복할 수 있을까요.

시민의 불편이 극심하고 반드시 고쳐야 할 문제인데 규정이 발목을 잡는다……. 그렇다면 그 규정을 바꿔나가야 할 때도 있을 것입니다. 제도가 아니라 시민들 삶부터 들여다봐야 합니다. 현장의 문제가 얼마나 심각한지 먼저 파악해야 합니다. 저는 물론이요, 함께 일하는 공무원들도 책상을 벗어나 현장으로, 발로 뛰기를 권해왔습니다.

항의와 원망을 들을 때도 많았습니다. 멱살을 잡힐 뻔한 적도 있습니다. 모욕감을 느낄 때도 있지만 그렇더라도 부딪쳐야 합니다. 자신의 문제이기에 시민들은 우리보다 더 오랜 시간 절박하게 고민해왔을 것입니다. 그런 시민의 이야기에 귀 기울이다 보면 해법이 보일 수도 있습니다. 그것이 아니더라도 시민의 문제를 제대로 이해해야 진짜 시민들에게 도움이 되는 시정을 펼칠 수 있을 것입니다.

찾아가는 '현장소통 시장실'

시장으로 취임한 후 시장실 책상 앞에 있기보다는 시민의 삶 속으

로 달려가는 일에 앞장섰습니다. 민생 현안이 있다면 직접 찾아가서 현장을 보고 목소리를 들었습니다. 2014년 7월 '현장소통시장실' 운영 계획을 수립한 이후 그동안 총 83곳에서 받은 시민들의 건의 사항 중 354건은 실제 시정에 반영하게 됐습니다. 또한 49회에 걸쳐 구군과 읍면동에 민생현장시장실을 수시로 운영했고 특정주제를 가진 테마별 현장소통시장실도 34회 운영했습니다.

칠성시장 식자재마트 입점 문제의 해결을 시작으로 차량등록사업소 북부분소를 개소해 민원 불편을 해결했고 상리동 음식물류폐기물 처리시설 악취 해소 보완대책을 마련한 것. 안심연료단지를 폐지하고 후적지를 개발한 것. 달성지역과 칠곡지역 및 금호택지개발지구 주민 불편사항을 접수한 것. 모두 현장소통시장실을 통해 대화를 나눈 덕분에 가능한 일이었습니다. 설문조사 결과 시민들의 87% 좋았다고 답변했고 97%가 계속 운영해달라고 답변하기도 했습니다.

시민 앞에서 가장 솔직한 시장

시민들의 이야기를 경청하는 건 정말 시정에 반영하고 싶어서입니다. 하지만 현실적으로 모든 민원을 다 반영할 수는 없는 상황. 불가능한 민원은 받아들이기 어려운 이유를 이야기합니다. 바로잡겠다고 말로만 받아들인다면 진짜 소통일까. 여느 정치인들처럼 표를 의식해 안 될 것도 될 것처럼 이야기한다면 결국은 정치 불신으로 이어질 것입니다. 무턱대고 장밋빛 희망만 줄 수는 없습니다. 있는 그대로 솔직하게 이야기하고 함께 가야 할 길에 대한 합의점을 찾아야 합니다.

한 예로 국가산업단지 문제가 있습니다. 2008년도에 지정된 국가산업단지는 원래 일괄보상하고 일괄개발하기로 했지만 사업을 맡은 LH의 자금력이 부족해 2단계로 나누어 진행하고 있습니다. 그러다 보니 1단계에 해당하는 주민들은 이미 보상을 받아 이주했지만 2단계로 밀려난 사람들은 6년간 보상도 못 받고 낙후된 주거환경에서 너무나 불편하게 살아왔다고 호소했습니다. 해당 주민들은 '당장 국가산업단지에서 해제해 달라'고 요구해왔습니다. 그동안 피해입은 시민들로서는 당연히 그럴 수 있습니다. 하지만 이 지역을 개발지역에서 해제하면 어떻게 될까. 인구에 비해 산업기반이 취약한 대구에 최초로 들어온 '국가산업단지'입니다. 기업을 유치할 수 있는 터전이 사라지게 되고 어렵사리 마련한 대구 전체 발전기회는 사라지게 되는 것입니다.

이분들을 설득해야만 했습니다. 여러분의 억울한 마음을 이해한다. 정부와 대구시가 그동안 여러분께 잘못했고 죄송하다. 그러나 지금 대구는 여러분의 희생과 인내 덕분에 더 큰 미래를 꿈꿀 수 있게 됐다. 6년간 참아주셔서 감사하고 죄송하다. 1년만 더 기다려 달라, 1년 후에는 반드시 보상에 착수하겠다고 말씀드렸습니다. 물론 그 약속은 지켜냈습니다만 아직도 그 순간을 잊을 수 없습니다.

당장 개발을 중단하라고 요구하던 분들이 대구의 미래를 위해 중요한 사업임을 설명하며 양해를 구하니 자신의 피해를 감수하고 한 발 물러선 것입니다. 이처럼 우리 대구 시민들에게 감동받은 일이 많습니다. 불편함과 억울함을 호소하면서도 끝까지 자기 이익만을 주장하는 분들은 없었습니다. 합리적인 해결방안을 함께 모색하고 때로는 전체를 위해 양보도 해주셨습니다. 시민들의 민원을 듣기 위해 만든 자리에서 오히려 제가 시민들께 위로를 받고 용기를 얻기도 했습니다.

시민의 마음을 담을 그릇 '두드리소'

시민들과 소통할 수 있는 대표 창구로 전국 최초 민원과 시민제안 그리고 콜센터를 통합 운영하는 시스템을 구축했습니다. 2015년 12월 2일 시작한 '두드리소'. 통합 전 9,941건이었던 민원과 제안은 이듬해인 2016년 41.4% 증가한 1만 4,054건, 2017년 1만 4,925건

'120 달구벌콜센터' 확장 이전 개소식

으로 급증했습니다. 2018년에는 '인공지능 및 빅데이터 기반의 지능형상담시스템' 서비스가 개시될 것입니다. 우리는 2016년도에 인공지능 로봇인 '뚜봇'을 활용해서 여권 분야의 무인 자동상담을 하고 있습니다. 이 '뚜봇'의 기능을 고도화해서 음성인식을 통한 자동상담시스템으로 시정 안내나 지역 축제를 알려주는 서비스분야가 확대될 예정입니다.

'120 달구벌콜센터'도 확대 구축했습니다. 콜센터 상담인력을 19명에서 45명으로 증원하고 상담시간을 연장해서 평일에는 오후 9시까지. 그리고 주말과 공휴일에도 운영한 결과 상담건수는 21.4% 증가했습니다. 전화, 문자, 온라인, SNS 등 다양한 방법으로 시정 전반에 걸친 민원 상담을 받고 외국어 상담도 진행하고 있습니다.

4

참여시정의 결정체 시민원탁회의

시민들 스스로 만들어가는 대구

"한 사람의 열 걸음보다 열 사람의 한 걸음이 더 위대하다."라는 말이 있습니다. 우리 250만 시민들의 다양한 에너지와 놀라운 상상력을 한데 모은다면 어떨까. 시민들이 함께 참여하고 함께 결정하고 함께 책임지는 사회를 만들고 싶었습니다. 시민들이 생활하면서 느꼈던 불편함이 해소되고 자신의 의견이 시정에 반영되는 것이 꾸준히 보인다면 시민들 스스로가 새로운 대구를 '함께' 만들어나가고 있음을 느낄 수 있지 않을까.

미국에는 '타운홀 미팅'이라는 시민이면 누구든 참가해 자기 의사를 표명하고 투표로 안건을 결정하는 회의 방식입니다. 영국의 식민지 시절부터 공동체의 문제를 자율적으로 해결했던 미국식 공개 토론 방식으로, 미국은 지금도 공동체마다 다양한 사안에 대한 수많은 타운홀 미팅이 이루어지고 있습니다.

　우리도 시민들의 자발적이고 직접적인 참여를 이끌어 보면 어떨까 생각했습니다. 처음엔 만류하기도 했습니다. '사공이 많으면 배가 산으로 간다'며 효율적이지 못하다고 말입니다. 시의회에서도 색안경을 끼고 보았습니다. 시의회의 권한을 침해한다는 의견과 대의민주주의에 반하는 것이라는 반론도 있었습니다. 하지만 우리가 시정을 펼치고 정책을 만드는 건 시민들의 더 나은 삶을 위해서입니다. 그래서 각종 현안에 대해 정책수립 과정부터 다양한 시민들의 이야기를 수렴해 시정에 반영하는 것은 필수라고 생각했습니다. 대의민주주의에 반하는 것이 아니라 대의민주주의를 보완하고 완성해 나가는 것이라고 믿었습니다.

소통의 아이콘 '시민원탁회의'

　저는 시민들이 함께 모여 다양한 의견과 아이디어를 쏟아내고 함께 토론하면서 스스로 결정하는 '시민원탁회의'를 제안했습니다.

500명가량의 시민들이 모인 만큼 소규모 원탁 테이블끼리 먼저 의견을 개진하고 토론한 내용을 전체적으로 공유한 뒤 현장투표로 최종결과를 도출해 내는 방식. 10대 청소년부터 70대 어르신에 이르기까지 다양한 연령대의 시민들과 관계전문가들이 참여해서 퍼실리테이터(소통 디자이너)라는 도우미의 진행에 따라 회의를 진행합니다.

시민들도 처음에는 반신반의했습니다. "시장이 정말 우리의 이야기를 듣느냐?" "우리 이야기가 반영되긴 하냐?"고 되묻는 사람도 있었습니다. 2014년 9월 처음 시작해 12번에 걸친 '시민원탁회의'. 첫번째 회의의 주제인 '안전한 도시 대구 만들기'를 시작으로 축제, 교통사고, 청년, 복지, 여성, 주민참여예산제 등 회마다 주제를 선정해 심도 있는 토론을 이어왔습니다. 주제의 선정부터 토론의 진행방식과 결론의 도출까지 오로지 시민들이 모여서 결정합니다. 저와 공무원들은 지원하되 개입하지 않는다는 원칙을 지킵니다.

저 역시 시민들과 함께하는 이 소중한 자리에 늘 처음부터 끝까지

함께했습니다. 이전 회의에서 논의된 내용은 어떻게 반영됐는지 설명하고 저의 새로운 의견도 제안해 왔습니다. 과연 가능할까? 물음으로 시작된 '시민원탁회의'는 이미 대구의 미래를 바꿔왔습니다.

시민의 생각을 담아내는 시정

시민원탁회의에서 제시된 의견 대부분은 시정에 반영됐습니다. 대표적으로 2015년에 열린 '대구축제회의'에서는 '중구난방으로 흩어진 축제를 통합하고 관이 주도하는 축제에서 시민이 주도하고 참여할 수 있는 대표 축제를 발굴하고 육성하자'는 결론이 나왔습니다. 이를 적극 반영해 대구의 축제들을 봄, 여름, 가을 시즌별로 특화시켰고 민간 중심의 축제육성위원회와 축제별 시민추진단을 만들었습니다. 이러한 결정을 통해 컬러풀 대구 페스티벌과 치맥페스티벌은 대한민국을 넘어 세계적인 축제로 발전하고 있습니다.

'교통사고 절반 줄이기 회의'에서는 '차량 도심 속도 탄력적 규제, 도로 개선, 신호체계 개선' 등의 의견이 나왔습니다. 이를 토대로 '교통사고 30% 줄이기 특별대책(비전 330)'을 수립했습니다. 그 결과 2017년 교통사고 발생 건수는 이전과 비교해 11.4% 줄었고 사망자 수는 20.7%가 감소하는 성과를 보였습니다.

아울러 2016년 개최된 '주민참여예산' 관련 회의 결과를 반영해 주민제안사업 접수를 연중 실시하고 주민참여예산위원회 시민참여 인원을 확대했습니다. 사업 최종 선정과정에도 2,248명의 시민 투표를 거쳐 선정하는 등 '주민참여예산 제도'도 전국에서 가장 모범적으로 자리 잡아 가고 있습니다. 그동안 '현장소통시장실'과 '시민원탁회의'를 통해 시민들이 제안한 정책만 4,000여 건. 시민을 중심으로 한 시정 혁신은 앞으로도 계속될 것입니다.

시민에게 예산권을?!

시민의 바람이 실현되는 예산편성

재정운영의 투명성과 공정성을 높이고 시민들 스스로 사업을 발굴하고 예산까지 편성함으로써 시민중심의 시정을 정착시키기 위해 실시한 '주민참여예산제'. 2014년 10명이었던 참여위원을 2017년에는 100명까지 확대했습니다. 최종 결정은 시민들의 투표로 결정하도록 했습니다. 시정뿐 아니라 구군 및 읍면동까지 일정 규모의 사업에 대해서는 주민들 스스로 관심 사업을 결정하고 예산을 편성할 수 있도록 했습니다. 주민참여예산 편성규모도 해마다 확대해 나가고 있습니다. 2016년 73억 원에서 이듬해 130억 원까지 2배 가까이 늘었습니다.

2017년에는 '주민제안사업'을 공모한 결과 1,675건의 사업이 접수됐습니다. 100명의 시민들로 구성된 '주민참여 예산위원회'에서는 분과위원회별로 30회에 걸쳐 주민제안사업을 심사했습니다. 주

민들이 제안한 사업 328건이 선정되었고 326건을 시의회에 올렸습니다. 이렇게 주민들이 제안하고 주민들이 선택한 사업 중 261개가 마침내 세상의 빛을 보게 된 것입니다.

시민들 스스로가 선택한 사업인 만큼 예산이 어디에 얼마만큼 편성되고 어떻게 쓰이는지 더욱 궁금하지 않을까요. 우리는 분과별로 2017년 예산편성 설명회를 개최했습니다. '주민참여예산제'에 참여하는 시민들의 역량을 높이기 위해 '예산아카데미'를 운영했고 3개 과정에 286명이 이수했습니다. 또한 주민참여예산위원들이 직접 주민참여예산사업의 실행과정을 모니터링할 수 있도록 했습니다. 주민제안사업의 추진실적을 서면으로 검토하고 직접 현장을 확인하기도 했습니다.

'주민참여예산제'에 참가한 많은 시민들은 스스로 마을을 바꿀 수 있다는 사실에 의욕을 보였습니다. 특히 호응이 컸던 대신동 주민들은 '대신동 마을계획단'을 꾸려 마을 자원을 조사하고 자체적으로 회의를 진행했습니다. 주민 간의 화합이 늘어난 것은 물론 민관의 신뢰를 높일 수 있는 좋은 계기였습니다.

청소년 주민참여예산제

미래의 주역이 될 청소년들의 참여도 이어졌습니다. 2017년 5월
부터 8월까지 11개교 141명 학생들이 참여한 '청소년 주민참여예
산제'. 먼저 학교별 제안사업 발굴 컨설팅을 하는 '예산아카데미'를
개최했습니다. 학교마다 '모의 예산위원회'를 열고 '전체 학교 공동
예산위원회'를 운영했습니다. 마지막으로 '청소년 참여예산 제안대
회'를 개최해 우수사업 5개를 선정하고 시상했습니다.

이들 우수사업은 타당성 검토 후 2018년 예산안에 반영했습니다.
3개 사업이 예산을 편성받아 이행에 들어갔습니다. 우리 미래를 이
끌어갈 청소년들의 창의적인 아이디어가 진짜 우리의 미래로 다가
올 그날을 기대합니다.

적어도 권영진은 내 편이었다

다양한 방법으로 시민들의 이야기를 듣고 시민참여 시정을 위해 노력한 때문인지 민선 6기의 평가에는 "소통을 잘한다."라는 칭찬이 종종 들려옵니다. 하지만 아직은 칭찬을 받을 만큼 만족스러운 단계는 아닙니다. 소통 시정은 기본으로 계속돼야 하는 것이지 일정 기간 내에 보인 성과의 문제가 아니기 때문입니다. 꾸준함이 중요합니다.

저는 취임할 때 "시민 속에 있는 시장, 시민이 힘들고 어려울 때 기댈 수 있는 시장이 되겠다."고 말씀드렸습니다. 끝까지 시민들의 어려움을 이해하고 함께하는 시장이 되도록 노력하겠습니다. 그리고 먼 훗날 시민들이 저를 이렇게 떠올리셨으면 좋겠습니다. '적어도 권영진만큼은 내 편이었다.'라고 말입니다.

5장

유네스코가 사랑한
문화관광의 도시

1

유네스코 창의 음악 도시 선정

  국채보상운동의 유네스코 세계기록유산 등재가 결정되기 바로 하루 전날 기쁜 소식이 들려왔습니다. 우리 대구가 유네스코 창의도시 네트워크UNESCO Creative Cities Network에 '음악도시'로 이름을 올린 것입니다. 이곳에는 음악, 문학, 음식, 영화 등 7개 분야에서 두각을 나타낸 54개국 116개 도시가 가입돼 있는데 우리나라에서는 디자인도시 서울, 영화의 도시 부산, 손맛으로 유명한 전주, 미디어 아트 분야의 광주, 공예·민속예술 분야의 이천, 그리고 음악도시로는 통영에 이어 두 번째로 선정된 것입니다.

  현재 대구에서 열리고 있는 아시아 최대 규모의 '대구오페라축제'는 15년, 세계 최초의 뮤지컬 전문 축제인 '대구국제뮤지컬페스티벌'은 11년 넘게 개최해온 점도 높게 평가받았습니다. 그뿐만 아니라 우리 대구는 음악에 대한 역사가 남다른 도시입니다. 날뫼북춤, 판소리, 영제시조 등 9개 분야의 전통음악이 무형문화재 전수자에

매년 7월 대구코오롱야외음악당에서 열리는 대구포크페스티벌

이어오고 있습니다. 동시에 뮤지컬, 오페라, 클래식, 재즈 등 다양한
장르의 음악이 공존하고 있습니다.

시대의 아픔을 달랜 아름다운 선율

대구는 대한민국 근대음악의 태동지였습니다. 1900년 우리나라
최초로 피아노가 들어온 곳은 화원 사문진 나루터요, 우리나라 최초
의 클래식 감상실 '녹향'은 6·25 전쟁 중에도 음악 활동을 이어갔습
니다. 대구로 피난 온 예술가들의 활동도 활발했습니다. 「희망의 나
라로」를 만든 현제명과 「동무생각」의 작곡가 박태준 등 한국 음악사

에 큰 족적을 남긴 음악가들의 활발한 활동이 이어졌습니다. 외신에 서는 우리 대구를 '전쟁의 폐허 속에서도 바흐의 음악이 들리는 도 시'라고 묘사했습니다. 어쩌면 전쟁의 참상과 공포를, 음악으로 달 래 온 것인지도 모릅니다.

그리고 여전히 잊을 수 없는 우리의 아픔. 2003년 대구지하철 참 사로 상처받은 시민들의 마음을 어루만져준 것도 음악이었습니다. 참담한 사고가 일어났던 지하철 역사에 아름다운 선율을 더해준 '멜 로디가 흐르는 음악도시 사업'. 끔찍했던 그날의 아픔을 음악으로 승화시킬 수 있도록 해왔던 것입니다. 이렇게 사회적 문제를 음악으 로 치유해 온 노력과 대구의 뿌리 깊은 근대음악 역사를 토대로 '유 네스코 음악창의도시' 가입을 신청했고 그 자산을 인정받을 수 있게 된 것입니다.

공연에 실패가 없는 도시

공연에 실패가 없는 도시. 새로 붙여진 우리의 또 다른 별명입니 다. 요즘 대구시립교향악단 공연 티켓 구하기가 무척 어렵습니다. 공연 33회 중 28회가 연속 매진 행렬을 이어갈 만큼 높은 인기를 자 랑하고 있습니다. 소규모 공연장도 아닌 1,200석 규모의 대형 공연 장을 꽉 채우는 게 다반사. 실로 놀라운 일입니다.

대구 시민들의 음악 수준이 향상된 것도 있겠지만 일명 '코바체프 효과'도 한몫했을 것입니다. 2014년 음악감독 겸 상임지휘자로 줄리 안 코바체프Julian Kovatchev가 부임했고, 그 해 그의 공연은 7회 중 4 회 매진에 그쳤지만 2015년 8회, 2016년 9회 전석 매진을 기록해낸 것입니다. 이 열기를 몰아 대구시립교향악단은 오스트리아 빈을 비 롯한 유럽의 음악도시 투어 공연을 진행했습니다. 역시 뜨거운 반응

대구 명예시민증을 받은 코바체프

을 얻었고 유럽에 대구의 음악을 널리 알리게 된 계기가 됐습니다.

2003년 전국 최초로 오페라 전용 단일 극장인 대구오페라하우스를 오픈하면서 문화 예술 인프라를 꾸준히 구축해 왔습니다. 오페라 하우스를 비롯해 콘서트 하우스와 코오롱 야외음악당 등 1,000석 이상의 대규모 공연장만 11개소로 수도권을 제외한 지역에서 가장 많은 수치이고. 중소규모 공연시설도 171개소입니다. 그뿐만 아니라 음악창작소, 대구예술발전소, 뮤지컬 광장, 김광석 길 등 창의적인 음악 활동이 가능하고 일상에서 문화를 누릴 수 있는 다양한 공간이 있는 음악도시로 발전해왔습니다.

2

품격 있는 글로벌 예술 도시

**세계가 주목한 대구의 예술 – 대구국제뮤지컬페스티벌과
대구국제오페라축제**

유네스코 음악 창의도시답게 세계적인 공연문화도시로 발돋움하
고 있는 우리. 그 중심에는 '대구국제뮤지컬페스티벌DIMF'이 있습니
다. 11년 전 처음 개최할 때만 해도 일일이 찾아가 설명하고 마케팅
을 해야만 외국작품을 유치할 수 있었지만 이제 세계에서 대구국제
뮤지컬페스티벌에 참가하겠다고 먼저 제안해오고 있습니다. 그동안
우리의 노력이 헛되지 않았구나 뿌듯함을 감출 수 없었습니다. 그렇
게 대구국제뮤지컬페스티벌은 세계 최대 규모의 국제 뮤지컬 축제
이자 아시아의 뮤지컬 메카로 자리 잡고 있습니다.

아시아 뮤지컬의 메카 대구국제뮤지컬페스티벌
2017년 11회 대구국제뮤지컬페스티벌은 특히 괄목할 만한 성과

를 거뒀습니다. 객석점유율은 약 87%로 관람객 5만여 명과 각종 부대행사에 참여한 인원까지 합하면 총 22만 명이 함께해서 전년보다 42% 증가했습니다. 해외참가국도 4개국에서 8개국으로 늘었고 역대 최다 작품을 올렸습니다. '뮤지컬은 비싸다'라는 고정관념을 깨고 기존 대형뮤지컬 티켓의 절반 수준인 1만 원에서 7만 원으로 관객들에게 다가서고 있습니다.

지금의 자리에 오기까지 많은 노력이 있었습니다. 국내 최초로 뮤지컬 해외교류사업을 추진해서 미국, 중국과 공연교류협약을 체결하고 활발한 공연교류를 이어오고 있습니다. 그 결과 뮤지컬의 고장 뉴욕과 독일, 일본, 중국에 우리의 창작뮤지컬을 당당히 올릴 수 있었습니다. 문화콘텐츠 강국으로 부상하고 있는 대구의 창작뮤지컬 산업을 더 탄탄히 할 수 있도록 전폭적인 지원을 아끼지 않을 것입니다.

세계와 함께하는 대구국제 오페라축제

초여름 뮤지컬에 이어 가을에 열리는 대구국제 오페라축제. 15회를 거치면서 아시아 최대 규모로 유럽 등 해외 유명극장 예술가들까지 참여한 전 세계적인 축제로 성장했습니다. 2017년에는 14개국 16팀이 참가하는 쾌거를 이뤘습니다.

2017년 가을 축제에서는 대구 오페라하우스의 브랜드로 자리 잡은 창작 오페라 「능소화 하늘꽃」을 개발했고 해외 유명극장 및 예술가들과의 협업으로 오페라 수준도 향상됐습니다. 독일, 오스트리아 유수의 극장과 합작했고 세계적인 소프라노 안젤라 게오르규, 줄리안 코바체프, 조나단 브란다니, 루디 박 등의 뛰어난 역량의 아티스트들이 1만 2,000명이 넘는 관객들과 호흡했습니다.

시민들이 함께할 수 있는 프로그램도 확대했습니다. 시민합창단이 직접 참여하는 오페라 「아이다」 공연을 비롯해 백스테이지 투어

대구오페라축제 개막식

와 특별사진전 등의 재미있는 행사를 열었습니다. 또한 시민들에게 찾아가는 공연을 5배 확대하고 생활문화센터와 소규모 문화공간을 확충해 오페라가 어려운 게 아닌, 우리 삶 속에서 즐길 수 있는 예술로 다가가도록 했습니다.

문화예술, 일상으로의 초대

시민들의 창작 활동을 돕기 위해 '문화예술창작벨트' 조성 사업을 진행하고 있습니다. '대구예술발전소'에서는 입주 작가 프로그램 공모를 통해 청년작가들에게 창작 기회를 제공하고 작품을 전시해온 것입니다. 2017년에는 2016년보다 11팀 많은 25팀(32명)에 지원했고 시민 대상 강좌프로그램을 새로 개설해 480명의 시민들에게 문화예술 교육을 받고 체험할 기회를 드렸습니다.

대구지하철 2호선 범어역과 연결된 생활 속의 문화공간 '범어아트스트리트'도 마찬가지입니다. 누구나 쉬어가며 책을 읽을 수 있는 공간이 되기도 하고 지역문화예술인들에게는 창작공간이자 작품을 전시할 수 있는 공간으로 쓰이고 있습니다. 전시, 공연, 아트마켓, 문화강좌 등 더욱 다양한 문화를 누릴 수 있도록 꾸몄습니다. 이 공간이 조성된 뒤 범어지하도 유동인구가 많이 증가했습니다. 우리 대구 시민들이 문화예술에 얼마나 관심이 많은지를 알 수 있는 하나의 지표는 아닐까요.

국내 3대 미술관 간송을 품다

일제강점기 우리 문화재를 지켜낸 간송 전형필 선생이 세운 의미 있는 미술관. 국내 3대 미술관 중 하나인 간송미술관이 대구로 옵니

다. 새로 만드는 간송미술관 분관은 지하 1층 지상 3층에 이르는 전시관은 물론이요, 전시 공간 건물까지 가는 길도 예술성을 살리도록 노력할 것입니다.

소나무 숲 사이로는 흐르는 실개천을 벗 삼아 오원 장승업, 단원 김홍도, 혜원 신윤복의 작품을 차례로 접할 수 있는 산책로와 본관 뒤편에는 교육용 야외 교실과 조각원도 마련할 예정입니다. 2021년 건립을 앞두고 오는 5월부터 9월까지 간송미술관이 소장한 국보급 고미술품 전시를 통해 관심을 고취할 예정입니다.

청년예술인에게 창작의 자유를

문화예술의 미래를 위해서는 무엇보다 청년 예술인들을 키워내야 합니다. 하지만 예술가의 삶은 녹록지 않습니다. 오롯이 예술에 매진할 수 있는 환경이 되느냐. 많은 예술가들이 창작활동만으로는 생계를 꾸려나갈 수 없다고 합니다. 부업이나 아르바이트로 경제력을 담보하지 않으면 힘든 상황. '하고 싶은 일'이기에 힘들어도 예술 활동을 하곤 있지만 경제적으로 불안정한 이 일을 얼마나 할 수 있을지 수없이 갈등한다고 했습니다. 더 안정된 직장을 찾아야 하는 것은 아닌가 하고 말이죠.

배고프지 않은 예술?!

언제까지 '예술은 배고픈 것'이어야 할까. 얼마나 더 많은 청춘들이 꿈과 현실 사이에서 방황해야 할까. 예술이 온전한 '직업'이 될 수 있는 환경을 만들기 위해 어떤 지원을 해야할까. 우리는 지역의 청년 예술가들에게 장기간 창작공간을 제공하고 창작활동비를 지급했습니다. 작은 손길이지만 청년 예술가들이 돈 걱정 없이 작품 활동에 매진하도록 다른 도시로 떠나가는 것을 막을 수 있도록 애쓰고 있습니다.

대구 아트스퀘어에서는 5개국 청년작가 33명의 작품을 전시해 화랑, 미술관계자, 아트컬렉터 등에 소개해줌으로써 실질적인 프로모션 기회를 제공했습니다. 2016년 한 해에만 작품 판매액 35억 원, 관람객 3만 3,000명을 달성하면서 우리 지역 대표 미술 시장으로 성장하기도 했습니다. 또 2015년부터는 대학생 청년 미술가들을 위한 '대구권 미술대학 연합전'도 별도로 열었습니다. 지역 미술대학 6개 대학 졸업생들의 대규모 전시회를 열고 작품을 소개해 졸업 후 전업 작가로의 성장 계기를 마련해준 것입니다.

세계 무대에 선 대구의 아들딸

글로벌 시대를 맞아 젊은 예술가들이 국제 무대에 데뷔할 수 있는 인큐베이팅 프로그램도 진행했습니다. 문화재단의 '해외레지던스 파견 사업'은 중국 항저우와 독일 베를린으로 청년 예술가 14명을 파견하고 현지 활동비를 지원해 왔습니다. 오페라 하우스에서는 '해

대구청년주간

외 극장 진출 오디션'을 치러 유명 오페라 극장인 이탈리아 피렌체 극장과 독일 함부르크극장에 대구의 젊은 성악가를 매년 두 명씩 취직시켜왔습니다. 아무리 열정과 재능이 있는 청년들도 개개인이 문을 두드렸을 땐 쉽게 열리지 않던 문이었습니다. 하지만 오랜 음악도시 대구가 갖춘 인프라를 인정해 우리 청년들의 가능성을 믿어준 것입니다. 그리고 급기야 대구 성악가들의 역량을 높이 평가한 독일 함부르크 극장에서는 한 명을 더 파견해달라고 요청해왔습니다. 참으로 뿌듯한 일이었습니다. 앞으로도 시에서는 우리 청년들이 꿈을 이룰 수 있는 징검다리 역할에 기꺼이 앞장설 것입니다.

우리의 노력은 결실이 되어 돌아왔습니다. 대구시에서 지원한 청년예술가들이 하나 둘 세계 무대에서 인정받고 있습니다. 대구예술발전소에 장기 입주한 작가와 스트리트 댄스 퍼포먼스제작 그룹 '아트지'는 월드오비댄스 한국대표로 선발돼 미국 무대에 섰습니다. 특

히 2017년 캐나다 몬트리올에서 개최된 '세계성악가대회'에 대회 최연소로 참가한 24살 청년 성악가 베이스 장경욱의 소식에 가슴이 뛰었습니다. 세계 최고의 명성을 자랑하는 성악가들과 어깨를 나란히 하며 본선에 진출한 것만으로도 큰 성과인데 '외국인 음악가상'을 수상하는 영광까지 안은 것입니다. 대구 오페라하우스에서 '신인 성악가 육성 프로젝트'로 발굴한 신예로 경북대 재학 중인데도 대구 국제오페라축제 개막작 「리골레토」의 주역으로 발탁될 만큼 뛰어난 신예입니다. 그는 슬로바키아 코시체 필하모닉오케스트라에도 초청받으며 세계 전역에 우리 대구의 위상을 널리 알리고 있습니다.

천만 관광 도시를 향한
거침없는 도전

의료관광객 2만 돌파

외국인 관광객 50만 시대를 처음 열었던 지난 2016년. 대구공항이 개항 55년 만에 최초로 흑자로 전환했던 그 해에 또 하나의 기쁜 소식이 들려왔습니다. 비수도권 최초로 외국인 의료관광객 2만 명 돌파를 달성한 것입니다.

우리의 의료진과 의료 기술은 호평을 받았지만 의료관광으로까지 이어지기는 어려운 상황이었습니다. 해외에서 우리의 의료 기술을 아직 잘 모르고 있고 진료를 받은 뒤에 며칠 머물면서 둘러볼 만한 곳이 마땅치 않다는 이유였습니다.

지난 시간 우리는 대구의 의료 인프라를 제대로 구축해 내실을 다지는 것은 물론, 외국에 우리의 인프라를 알리는 데 힘을 쏟아왔습니다. 7개국에 의료관광 해외 홍보센터를 개설하고 외국은행과 협업해 '대구의료관광카드'를 발급하는 등 적극적으로 알려왔습니다.

김광석 거리, 근대골목 등 스토리가 있는 관광지를 조성하고 서문야시장과 수성못, 83타워 등 밤에도 즐길 수 있는 공간을 가다듬었습니다.

마음을 울리는 노래와 김광석 거리

7080세대의 영원한 우상이자 청춘 가객 고故 김광석! 그의 노래는 마치 가슴 깊숙이 파고드는 듯합니다. 외로울 때는 나지막이 말을 건네는 것 같고 힘이 들 때는 의지가 되고 알 수 없는 두려움이 밀려올 때는 위안이 되는 묘한 힘을 가지고 있습니다. 마음을 울리는 노래, 많은 사람들이 그의 노래에 위로받아왔습니다. 그가 태어나 자란 곳이 우리 대구였습니다. 다섯 살 꼬마 김광석이 뛰어놀았을 공간들, 그곳에 그의 애잔한 노래와 그의 삶을 다시 만날 수 있는 벽화거리를 조성했습니다. 중구청이 주도해서 만든 벽화거리는 이 주변에 활력을 불어넣어 줬습니다.

김광석 거리가 조성되기 전까지 방천시장은 문 닫은 가게가 즐비한 그야말로 쇠락한 시장이었습니다. 한때 대구를 대표하는 시장이었지만 주변은 재개발에 들어가고 방천시장만 덩그러니 섬처럼 놓여 있었습니다. 사람의 발길이 뚝 끊기는 듯했습니다. 하지만 김광석 거리를 찾는 사람들이 방천시장의 호떡집, 작은 술집, 카페를 찾아오면서 다시금 생기를 찾았습니다.

평범하기만 했던 공간은 이제 추억을 되살리는 공간이 되었습니다. 방천시장 옆 신천대로 둑길에 그려진 김광석 벽화와 동상을 배경으로 사진도 찍고 추억 속의 학교 앞 문방구 불량식품과 달고나 등을 먹으며 향수에 젖어들게 하는 곳이 된 것입니다. 김광석 자필 악보와 수첩과 미공개 사진 등을 전시한 '김광석 스토리하우스'도 볼거리를 더했습니다. 중구청이 잘 닦아준 관광 인프라를 시에서도

김광석 거리

적극 홍보하고 지원했습니다. 그 결과 2014년에는 47만 명이었던 관광객이 2017년에는 146만 명으로 늘었고 2015년 2017년 2회 연속으로 한국관광 100선에 선정됐습니다.

100년 전 시간여행 근대골목투어

대구는 '길의 도시'라는 생각이 듭니다. 수제화골목, 공구골목, 인쇄골목 등 대한민국에서 어떤 도시보다도 길을 따라 산업이 집적화돼 있고 또 문화가 연결된 '길의 도시' 말입니다. 제가 가장 자주 가는 곳은 단연 '근대골목'입니다. 대구 근대 100년의 역사를 고스란히 담고 있는 이 골목을 걷다 보면 마치 100년 전으로 시간여행을 떠난 듯한 느낌입니다. 대구의 자랑이 된 문화관광 해설사로부터 건물 하나하나와 길 하나하나에 담긴 대구의 역사와 문화 이야기를 듣고 있으면 대구 시민으로서의 자부심이 솟아나곤 합니다.

고색창연한 근대식 건물이 잘 보존돼 있어 '근대 역사의 뼈대'를

느끼게 하는 곳 대구. 우리 대구 곳곳에 빛바랜 모습으로 놓여 있던 중구 근대골목을 우리는 도심재생·공공 디자인을 통해 역사문화 명소로 발전시켰습니다. 청라언덕 선교사주택, 3.1만세운동길, 계산성당, 이상화·서상돈 고택, 약령시, 진골목 등 대구의 근대역사를 한눈에 볼 수 있는 공간입니다. 근대골목이 끝나는 지점에 위치한 향촌문화관은 한국전쟁 때 대구로 피난 온 예술인이 머물며 예술 혼을 불사른 곳입니다. 이곳에 1970년대 다방, 술집, 음악 감상실 등 시대상을 재연해 놓아 세대 간 다른 듯 같은 경험을 공유할 수도 있습니다. 이 골목은 2014년 40만 명이었던 관광객이 2년 만에 140만 명으로 급증했고 2012년에는 '한국관광의 별'로 선정됐고 2013년, 2015년, 2017년 한국관광 100선에 3회 연속 선정됐습니다.

또한 조선시대 경상도를 담당했던 행정기관 '경상감영'은 대구가 영남의 중심이었음을 말해주는 곳입니다. 2017년에는 경상감영지가 사적 제538호로 지정됐는데 이 역시 근대골목과의 연계를 통해 관광 명소로 복원할 예정입니다. 그러기 위해 먼저 관풍루를 이전

3·1만세운동길 야간 투어

하고 사령청과 백화당과 대구부아를 복원하는 데 힘을 기울일 예정입니다.

야간 투어 코스

김광석 거리와 근대골목은 평범한 삶의 공간에 이야기를 입히고 다듬어 관광산업으로 발전시킨 아주 좋은 예입니다. 그렇다면 대구의 또 어떤 문화에 이야기를 입혀 관광코스로 짤 수 있을까. 외국 사람들은 한국의 밤 문화를 무척 인상 깊게 느낍니다. 캄캄한 밤에도 열정 넘치는 젊은이들의 활기를 궁금해하고 또 신기해합니다. 그렇다면 '밤'에 볼 수 있는 무언가를 만들어보면 어떨까. 대구의 밤을 즐길 수 있는 관광 코스를 고민했습니다.

먼저 다양한 먹거리가 넘치는 서문시장 야시장, 관광객이 많이 찾는 동성로와 수성못, 앞산전망대 등을 도시철도 3호선 야간투어 코스로 만들었습니다. 우리가 가진 자산을 보다 적극적으로 알려나가며 세계인들의 관광도시로 한 발자국 나아가고 있습니다.

4

또 하나의 경쟁력
해외도시 네트워크

해외 자매·우호도시에서 배우다

공공외교 주체로서 지방정부의 역할이 중요해지면서 해외 도시와의 네트워크는 곧 경쟁력이 되기도 합니다. 세계 선진도시를 들여다보면서 그들의 장점을 배우고 또 우리의 어떤 장점을 부각할지 파악했습니다. 우리는 2014년 14개였던 자매우호도시를 23개로 확대했고 2018년 25개 도시로 확대할 계획입니다. 양적 증가뿐 아니라 교류 도시별로 차별화된 전략으로 상호 이익을 최대화하고 지속적인 협력 관계를 유지할 수 있도록 할 것입니다.

2018년에 자매도시 결연 20주년을 맞이한 히로시마와는 과거사 문제로 경직된 한일관계 속에서도 꾸준히 문화예술교류를 해왔습니다. 그리고 성공 사례로 꼽히는 히로시마 플라워페스티벌을 참관해 5일간의 개최기간과 대규모의 개최 스케일에 감탄했습니다. 그리고 그 장점을 벤치마킹했습니다. 소규모로 개최하던 '컬러풀페스티벌'

(왼쪽) 대구 - 방콕 우호협력도시 협정 체결 (오른쪽) 대구 - 호치민 우호도시 협정 체결

을 대구의 심장부인 국채보상로에 대대적인 규모로 열어 한 단계 업
그레이드시킬 수 있었습니다.

또한 세계적인 관광도시 방콕과의 우호도시 협정 체결 역시 대구
의 관광산업이 배우고 도약할 수 있는 좋은 계기가 되어줄 것으로
기대합니다.

세계에서 대구를 알리다

우리는 포스트 차이나로 주목받는 베트남과의 경제협력 채널 개
척을 위해 2015년 호치민과 우호도시 협정을 맺었고 2016년 대구
시 호치민사무소를 개설해 현지에 있는 우리 기업들의 애로사항을
해결하고 판로개척에 힘을 더했습니다. 그 결과 베트남 수출이 전년
대비 6.5% 증가하는 고무적인 성과를 이뤄냈습니다. 2016년부터
파견한 상해 해외사무소에서도 현지 마케팅 활동을 지원하고 투자
기업 및 대규모 관광객의 대구방문과 문화교류를 지원하는 등 다양
한 역할을 하고 있습니다.

또 해외주재관 양성을 위한 국외 현장 직무훈련을 위해 2017년
중국 닝보, 베트남 다낭에 해외 교류관을 파견한 데 이어 2018년에

(왼쪽) 대구 - 밀라노 자매결연 (오른쪽) 대구 싱가포르 MOU 체결

대구 - 밀워키 자매결연 체결

는 두 명을 추가로 파견할 예정입니다. 우리의 위상을 높이고 투자
통상과 국제교류를 활성화하기 위해 해외사무소 운영을 더욱 확대
해 나갈 생각입니다.

5

대구가 만들고 세계가 즐기는 축제

시민이 직접 만든 컬러풀대구페스티벌

그날의 감동은 결코 잊지 못할 것입니다. 2017년 대구의 중심 국채보상로를 가득 메운 채 하나 되어 열광했던 130여 만 명의 대구 시민들. 지금도 눈을 감으면 그날의 열기와 감동이 생생히 느껴집니다. 마치 붉은 악마들이 광화문 광장을 가득 메운 2002년 6월을 다시 보는 듯한 그때의 감동은 이루 말할 수 없었습니다. 시민들과 함께 어울려 춤추고 즐기면서 대구 시민 모두 한마음으로 똘똘 뭉쳤던 우리의 뜨거웠던 5월은 아직도 뇌리 속에 깊숙이 남아 있습니다.

시민들의 제안으로 만든 축제였습니다. '시민원탁회의'에서 만난 시민들은 그동안 대구의 축제를 신랄하게 평가했습니다. '대구에 축제가 과연 있긴 하느냐?' '그들만의 축제 아니냐?'는 의견도 있었습니다. 반박할 수 없었습니다. 그동안의 축제는 모든 시민을 아우르지 못하고 참여하는 소수만이 즐기는 축제였습니다. 그래서 과감하

컬러풀대구페스티벌

게 바꾸기로 했습니다. 대구 250만 시민들 모두가 참여할 수 있는 '진짜' 시민들의 축제를 치르기로 한 것입니다.

왕복 8차선 국채보상로를 막아라?!

우리 시민의 상징인 국채보상로에서 축제를 하겠다고 했을 때 시청 공무원들부터 반대하고 나섰습니다. 대구의 가장 핵심에 있는 국채보상로를 이틀 동안이나 막으면 차량 정체가 말도 못 할 거라는 이유였습니다. 국제마라톤대회 때문에 반나절도 채 안 되는 시간 동안 중앙로를 통제해도 교통이 불편하다며 시청 상황실에 항의전화가 빗발치는데 하물며 도심의 간선도로인 국채보상로를 그것도 이틀이나 막을 수 있겠느냐는 것입니다.

하지만 중앙로의 대중교통전용지구에서 몇 시간 남짓 해왔던 기존 컬러풀페스티벌으로는 시민들이 만들고 시민들이 함께하는 축제는 불가능했습니다. 더 많은 시민들이 함께할 수 있는 넓은 장소, 그

리고 대구의 대표적인 공간이 필요했습니다. 과감한 시도 없이는 바꿀 수가 없었습니다. 과감하게 결단했습니다. 한번 바꿔보자고!

　오전 11시부터 자정까지 13시간씩 이틀 동안 국채보상로와 공평로 교통을 통제하기로 하고 대대적인 축제를 준비했습니다. 대신 충분한 홍보로 그날의 혼선을 최소화하기 위해 노력했습니다. 언론을 통한 홍보를 강화하고 세대마다 축제 안내문과 교통통제 상황을 미리 알렸습니다. 교통이 막힐 테니 차량은 두고 대중교통을 이용해서 축제에 참여해 달라고 호소했습니다. 교통 통제 구간에 해당하는 주변 가게들에는 공무원들이 일일이 찾아다니면서 사전에 양해를 구했습니다. 특히 주말에 사람이 많이 몰리는 교회와 예식장의 경우, 축제 때문에 차량이 진입할 수 없다는 것을 이용자에게도 고지해달라고 부탁했습니다.

　사실 주변 상권의 경우, 생계와 직결되는 문제이니만큼 미안한 마음이 컸습니다. 하지만 미리 사정을 설명해드리니 이해하고 공감해주셨습니다. 이것은 시정을 진행하면서 느껴온 대구 시민들의 강점이기도 합니다. 자신이 조금 손해를 보는 일이더라도 미리 사정을 말씀드리면 시민 전체의 이익을 위해 본인의 불편을 기꺼이 감내해

주시곤 하셨습니다. 시민들의 성숙한 모습에 힘을 얻고, 더 열심히 준비해나갔습니다.

그리고 디데이. 속이 바짝 타들어갔습니다. 시민들이 하나 되는 자리를 만들어야 한다고 과감하게 추진했지만 교통 정체 걱정에 사실 밤잠도 설쳤습니다. 잔뜩 긴장했지만 결과는 기대 이상이었습니다. 차량 정체는 오히려 평소보다 덜 한 편이었고 교통 관련 민원은 놀랍게도 단 한 건도 들어오지 않았습니다. 사전에 널리 알린 것도 있지만 우리 시민들의 성숙한 시민의식 덕분에 우리의 축제는 성황리에 치러질 수 있었습니다.

'그들만의 축제'에서 우리의 축제로

국내 최대 규모의 인원이 참여한 '컬러풀퍼레이드'는 더욱 화려해졌습니다. 시민들이 직접 퍼레이드 카를 꾸미며 축제를 준비했습니다. 전기차 퍼레이드부터 근육질 몸매를 뽐낸 소방관, 아크로바틱한 군무의 힙합퍼포먼스며 자국 전통의상을 입은 외국인과 다문화가족들까지. 더 많은 시민들이 더욱 다양한 모습으로 역대 최다 인원이 모였습니다.

2017년 처음 도입된 100인 동상 퍼포먼스로 국채보상운동과 2·28 대구민주운동을 재현했습니다. 서상돈, 이상화, 김광석 등 대구를 상징하는 인물들로 우리의 자긍심을 높여주기도 했습니다. 즐길거리에 이어 37대의 푸드트럭이 다양한 먹거리를 제공해 볼거리, 즐길거리, 먹을거리가 넘쳐나는 풍요로운 축제가 되었습니다.

특히 퍼포먼스와 거리공연 등 시민이 주도하고 참여하는 프로그램이 늘면서 매년 참가자와 관람객은 물론 만족도까지 높아졌습니다. 처음 개최한 2015년에 천여 명이 참가하고 31만 명이 관람했던 것에 비해 3년 만에 6,800명이 참가하고 117만 명의 관객이 함께했

대구치맥페스티벌

습니다. 2016년부터는 외국에서도 참가하기 시작하면서 우리의 축제는 더 풍성하고 성대해졌습니다. 그렇게 우리 시민들과 함께 대구만의 새로운 문화를 만들어낸 것입니다.

대프리카를 뜨겁게 달구는 대구치맥페스티벌

'대구의 맛' 하면 막창과 따로국밥부터 떠올리곤 했지만 요즘은 단연 '치킨'입니다. 온 국민이 좋아하는 치킨과 맥주를 소재로 '치맥축제'를 열면서 대구가 치맥의 도시로 입지를 다져온 덕분입니다. 하지만 치맥페스티벌을 개최하기 이전부터 우리 대구는 치킨과의 인연이 꽤 끈끈한 도시였습니다. 1980년대부터 양계산업이 발달해온 터라 전국에서 내로라하는 치킨 브랜드도 알고 보면 대구산이 많습니다. 1985년 전국 처음으로 치킨 프랜차이즈를 시작한 '멕시칸', 1990년대 이전에는 없었던 간장 소스로 유명한 '교촌치킨', 두 마리

치킨 시대를 연 '호식이 두 마리 치킨'의 고향이 바로 대구요. 평화시장의 '닭똥집 골목' 역시 전국적으로 이름을 떨쳐왔습니다.

치킨 하면 대구! 대구 하면 치맥페스티벌

대구의 무더운 여름과 치킨에 어울리는 시원한 맥주. 그리고 젊은이들의 끼와 열정이 넘치는 아이디어를 보태 완성된 시민들의 축제. 섭씨 37도를 뛰어넘는 무더운 대구의 여름밤 시원한 맥주 한잔과 치킨은 그야말로 환상의 궁합이었습니다. 해를 거듭할수록 관람객이 늘어 2017년에만 120만 명 이상이 참여한 것으로 추정되고 축제가 유명세를 타면서 해외 관광객도 대폭 늘어 외국인 참가자도 10만 명이 넘었습니다.

'치맥'을 목적으로 오는 중국인 단체 관광객도 대거 늘었습니다. 급기야 치맥페스티벌 기간에는 서울에서 출발하는 '치맥 관광열차'까지 등장할 정도. 오후 5시에 대구역에 도착해 축제를 즐긴 뒤 1박을 하고 다음날 동성로와 서문시장 등을 둘러보고 서울로 가는 1박 2일 여행상품까지 생긴 것을 보면 우리 '치맥페스티벌'의 인기를 짐작할 수 있습니다.

축제 기간 동안 소비한 치킨은 43만 마리, 맥주는 30만 리터. 축제의 주최 기관인 한국치맥산업협회에 따르면 2017년 축제는 생산 유발 효과 266억 원, 부가가치 유발 효과 98억 원, 고용 유발 효과 160명 등의 경제적 효과를 거둔 것으로 나타났습니다.

시민이 스스로 만든 축제

치맥 축제의 성공적인 개최에는 대구청년들로 구성된 자원봉사자 치맥 프렌즈가 한몫했습니다. 그중에서도 대구 경북대학생 20명으로 구성된 '치맥 리더스'가 핵심적으로 이 축제를 기획하고 SNS 홍보와 축제장 운영을 담당하는 등 실질적인 축제 운영 기획자 역할을 한 것입니다. 시청 공무원들이 준비하는 행사가 아닌 우리 젊은이들이 자발적으로 만드는 행사여서 더욱 의미가 컸습니다.

제가 가장 소중하게 생각하는 것은 억 소리 나는 경제적 효과가 아닙니다. 우리 대구 시민의 저력을 보여준 이 축제의 면면들입니다. 자신의 일처럼 열심히 뛰어준 치맥 프렌즈는 물론 매일 관람객과 참가자 전원이 함께 축제 현장을 청소하며 대구 시민의 성숙한 문화 의식을 보여준 '클리닝 타임'까지. 시민 모두가 주인 의식을 가지고 참여했기에 가능한 일이었습니다. 그야말로 '우리'가 만들고 '우리'가 즐기는 '우리'의 축제로 자리한 것입니다. 이제 치맥 축제는 대구가 만들고 세계인이 함께 즐기는 글로벌 축제로 성장해나갈 것입니다.

6

세상에서 가장 밤이 야한 도시

미국의 CNN 방송에서 '서울에서 밤에 잠자는 사람은 루저'라고 소개할 만큼 볼거리, 먹거리, 즐길거리가 많은 한국의 밤 문화는 외국인들에게 신선한 문화충격이라고 합니다. 반짝이는 불빛이 수놓은 아름다운 야경과 어둠 속에서도 활기찬 청년들과 쇼핑의 거리를 느끼러 오는 관광객이 많은데요. 우리 대구를 '밤이 즐거운 도시' '밤이 야夜한 도시'로 만들면 어떨까 상상했습니다. 낮에는 대구와 경북의 문화유산을 보고, 대구의 밤을 즐길 수 있는 명소들을 관광상품으로 만들면 더 많은 사람들이 찾아오지 않을까요. 그렇게 야경 명소들과 야시장으로 우리 대구는 밤이 더 즐겁고 빛나는 활기찬 도시로 거듭나고 있습니다.

서문야시장 세계를 홀리다

서문시장은 조선 3대 시장이자 국내에서 손꼽히는 대규모 전통 시장입니다. 이 좋은 곳이 저녁이 되면 모두가 문을 닫고 인적이라고는 없는 캄캄한 시장으로 남는 것이 너무 아까웠습니다. 밤에도 열 수 있는 시장을 만들자고 제안했습니다. 하지만 상인들은 '사람들이 오지 않는 시간에 시장을 열면 무엇하냐'는 반응이었습니다. 우리의 대표 시장인 서문시장을 어떻게 하면 서울의 동대문시장처럼 관광명소로 만들 수 있을까. 동대문 시장처럼 밤에도 북적거리는 활기를 만들고 외국인 관광객들이 밤 문화를 즐길 수 있는 데는 야시장만 한 것이 없다고 생각했습니다.

매일 오후 7시 젊은 층이 좋아하는 독특한 먹거리와 상품으로 서문의 밤을 새로 열었습니다. 달라진 서문시장은 하나 둘 입소문을 타고 알려졌고 2017년에는 전국 야시장 중 SNS 점유율 1위[7]를 기

록하며 대한민국 대표 야시장으로 발돋움했습니다. 추석 연휴에는 100만 명이 몰려들 만큼 유명세를 치르기도 했습니다.

　대구 하면 떠오르는 막창과 채소 삼겹살 말이 등 배를 든든히 채울 먹거리에 우유튀김 같은 달콤한 후식까지. 80개 매대에서 지글지글 음식 익는 소리와 코를 자극하는 냄새가 절로 입맛을 당깁니다. 무엇보다 빼어난 맛으로 사랑받고 있는데요. 그 비결은 일명 '서문고시'. 서문야시장 점포들은 '서문고시'로 불릴 만큼 까다로운 맛 품평회에서 선정됐습니다. 대구 시민 60명이 심사해 고르고 고른 1등 먹거리를 3,000원에서 5,000원대 저렴한 가격에 판매하도록 한 것입니다.

　맛있는 먹거리는 기본이요, 현금 유통이 대부분이던 재래시장의 관습을 깨고 전 매대에 신용카드와 온누리상품권을 통용했습니다. 현금을 잘 가지고 다니지 않는 사람들도 쉽게 야시장의 음식을 접할 수 있게 한 장치입니다.

　먹거리와 더불어 즐길 수 있는 다양한 콘텐츠를 제공하기 위해 서

두류공원

문야시장 내 공연장에 국내외 유명 아티스트의 공연부터 지역 예술
가들의 버스킹 공연 그리고 시민가요제까지 문화예술의 장도 열었
습니다. 먹거리에 볼거리까지 가득한 문화공간으로 만든 것입니다.
이렇게 서문의 밤이 후끈 달아올랐습니다. 명실공히 대구를 대표하
는 관광코스로 자리매김하게 된 것입니다.

   브랜드 마케팅의 하나로 서문시장을 더 적극적으로 알려나가기
로 했습니다. 2018년 1월 11일 서문시장에서 첫 촬영한 드라마 「사
자」. 「별에서 온 그대」를 만든 스타 감독과 배우 박해진 씨가 합을
맞춘 드라마로 2018년 9월 한국과 중국에서 동시 방영될 예정입니
다. 이 드라마를 통해 더 많은 사람들이 서문시장을 알게 되면 얼마
나 좋을까. 이제 우리의 목표는 대한민국 대표 야시장이 아닌 세계
로 뻗어 가는 대표 야시장입니다. 그러나 우리는 이것에 만족하지

않을 것입니다. 야시장이 불러들일 수많은 관광객과 고객들을 기존의 상가로 연결시켜 서문시장 전체가 밤을 밝히는 시장으로 만들어 나갈 것입니다. 아직은 우리 상인들에게 반신반의한 미래이지만 우리의 꿈은 땀과 눈물의 노력으로 이룰 수 있다고 믿습니다.

밤이 더 매력적인 대구

서문 야시장에서 먹거리를 즐긴 뒤에는 어떻게 대구의 밤을 즐기면 좋을까. 대구의 아름다운 밤 풍경을 돋보이게 할 곳은 어디일까.

도심 속 '빛의 잔치' – 앞산전망대

먼저 '전국의 아름다운 도시야경 베스트 8' 중 하나로 꼽히는 '앞산'! 발아래 펼쳐진 대구 시가지가 불빛으로 수 놓인 야경을 보면 가

대구야경(앞산전망대)

슴이 탁 트여서 저도 즐겨 찾는 공간인데요. 2014년 한국관광공사가 '도심 야경명소'로 소개한 뒤 더욱 많은 사람들이 찾아오고 있습니다.

못에 비친 밤이 몽환적인 대구 - 수성못, 월광수변공원

화려한 앞산 야경과는 또 다른, 몽환적인 매력이 있는 곳. '수성못'의 잔잔한 물결에 비치는 대구의 밤 풍경도 빼놓을 수 없습니다. 수성구에서는 수성못의 아름다운 밤을 더욱더 즐길 수 있도록 오리배, 노 보트, 유람선 야간운행을 시작했고 탁 트인 못의 풍경을 제대로 느낄 수 있도록 주변 업소에 전국 최초로 옥상 및 옥외영업을 허용하기도 했습니다. 수성구에서 만든 멋진 인프라를 시에서도 적극

낙동강 강정고령보

홍보했고 더 많은 시민들이 물결에 비치는 야경을 즐길 수 있게 됐
습니다. 물과 어우러진 야경은 월광수변공원도 빼놓을 수 없습니다.
시민들이 산책하기 좋도록 목재 데크로드를 설치했고 이곳의 명물
율동분수를 야간에도 가동시켰습니다. 영상음악분수쇼는 오후 8시
와 9시 두 차례, 야간유람선은 자정까지 운행을 연장해 대구의 밤을
더욱 즐길 수 있게 했습니다.

'마음'을 담은 야경 – 디아크 강정고령보

세계적 건축설계가 하니 라시드Hani Rashid가 설계한 예술작품이
자 건축물인 '디아크'. 이 건물 전면에 LED 경관 조명을 운영하면서
새로운 야경 명소로 부상했습니다. 낙동강의 아름다운 풍광에 디아

디아크

크 자체가 화려한 조명을 발하면서 하나의 예술작품처럼 느껴지는
데요. 복합문화예술공간인 디아크를 구경한 뒤 아름다운 밤 풍경을
즐기는 시민들이 많이 눈에 띕니다. 반딧불이 전기자전거로 주변을
달리고 디아크 아래에서 셀카를 찍으며 즐거워하는 모습에 덩달아
기분이 좋아집니다.

7

스포츠로 만드는 건강도시

도심 곳곳에서 누리는 생활체육

운동을 생활화하기 위해서는 체육시설이 시민들이 생활하는 공간 속에 있어야 합니다. 일부러 운동하려고 가야 한다면 번거로워서 이용하지 않게 됩니다. 집 근처나 동네에서 간편하게 생활체육시설을 접할 수 있어야 합니다. 특히 베이비붐 세대가 대거 은퇴하고 머지않아 고령화 시대가 오면 근거리 생활체육시설은 더욱 중요해질 것입니다. 경제 활동을 멈춘 노인층은 헬스나 특정 운동을 배우기보다 공원이나 놀이터 등에 있는 생활체육시설을 주로 이용하기 때문입니다.

부족한 지역 생활체육시설과 근거리 공공체육시설을 확충하는 데도 힘을 기울였습니다. 2013년 99개에 불과했던 공공체육시설은 2016년 기준 135개소로 36%가 늘었고 생활체육 동호인도 130% 증가했습니다. 구군별로 고르게 시설을 확충하고 지역적 특성을 고려함으로써 시민 모두가 스포츠로 건강하고 행복한 도시를 만들고

시민운동장

자 노력하고 있습니다.

생활 속의 체육시설

시민들의 대표 스포츠 공간 시민운동장. 하지만 1948년에 지어진 만큼 노후화돼 객석의 안전 문제가 종종 제기됐습니다. 게다가 2016년에 삼성라이온즈가 전용야구장을 대구삼성라이온즈파크로 이전한 뒤 테니스장, 씨름장, 보조경기장 등은 소수의 동호인만 이용하고 있는 상황. 시민 공간으로서의 기능을 사실상 상실한 상태입니다. 더 많은 시민들이 이용하는 시민의 공간으로 되돌려야 했습니다.

도심 속 스포츠 파크

지금 시민운동장은 대대적인 변신을 준비하고 있습니다. 도심 속

스포츠파크로, 시민들이 이용할 수 있는 공공체육시설로, 또 하나의 도심공원으로 탈바꿈할 것입니다. 2020년 공사가 끝나면 대구FC 축구전용경기장, 사회인 야구장, 다목적 실내체육관과 유소년축구장에서 우리 시민들의 건강한 체육활동을 즐길 수 있는 그날의 풍경을 기대해봅니다.

야구의 새로운 명소 대구삼성라이온즈파크

'최.강.삼.성. 승.리.하.리.라.' 우리 대구 시민들과 하나 되어 응원하다 보면 벅찬 감동이 밀려옵니다. 야구 경기도 경기지만 대구 시민들의 뜨거운 열정을 느낄 수 있는 것이 참 좋습니다. 하지만 노후화된 대구시민야구장은 우리의 열정을 담기에 부족했습니다. 너무 위험했습니다. 혹시 모를 안전사고에 대비해 우리는 서둘러 새로운 야구장 대구삼성라이온즈파크를 개장했습니다.

2016년 개장한 대구삼성라이온즈파크는 메이저리그의 야구장을

대구삼성라이온즈파크

벤치마킹해 관람객을 최우선으로 설계했습니다. 주목할 만한 것은 국내 최초로 만든 팔각형 구장. 기존 원형구장보다 관람 공간이 넓은 것은 물론 관중석과 1·3루 거리도 우리나라에서 가장 가깝습니다. 밀착형 스탠드를 설치해 선수와 가장 가까운 거리에서 박진감 넘치게 야구를 관람할 수 있도록 했습니다. 다이아몬드 모양의 국내 최대 LED 전광판은 관람석 어디서도 영상을 볼 수 있도록 넓은 가시 각도를 자랑합니다. 특히 관람객이 햇빛을 등지도록 필드 축을 북동향으로 배치해 관람객과 선수 모두에게 쾌적한 경기환경을 제공하고 있습니다.

다양한 관람문화를 위해 잔디석, 파티 플로어, 홈런 커플석, 모래 놀이석 등 다양한 이벤트석도 마련했습니다. 최고의 구단과 최고의 시민들에게 걸맞은 최고의 구장은 더 재미있게 야구를 즐기는 동시에 우리 대구의 새로운 랜드마크가 되어주었습니다.

시민의 열망으로 일궈낸 대구FC 1부리그 승격

K리그 챌린지(2부리그)였던 대구FC가 2017년 클래식(1부리그)으로 승격했습니다. 2002년 월드컵 이후 프로축구 역사상 최초로 시민들이 주주가 되어 대구시민프로축구단을 창단하고 1부리그에서

활동해왔지만 2014년 부진한 성적 탓에 K리그 챌린지로 강등당하는 수모를 겪었습니다. 하지만 각고의 노력을 한 끝에 2016년 K리그 챌린지에서 2위를 거두며 클래식으로 승격한 것입니다. 클래식에 복귀한 2017년 12개 팀 중 8위로 마감했지만 2018년에는 상위권 진입을 목표로 열심히 훈련하고 있습니다.

대구FC의 새로운 도약에는 축구를 통해 시민들의 자존심을 살려보자는 시민적 열망이 뒷받침되고 있습니다. 시민 없는 시민구단이 아니라 시민들이 사랑하고 시민들이 함께 키워가는 그야말로 시민구단을 제대로 만들어 보자는 자발적인 노력이 일어났습니다. 이름 하여 대구FC 엔젤클럽의 탄생입니다. 대구FC의 침체를 안타까워하는 사람들이 하나 둘 모이면서 클럽창설 1년이 채 되기도 전에 1,004명의 엔젤 시대를 열었습니다. 대구FC 엔젤클럽은 적지 않은 후원금으로 구단운영에 재정적으로도 큰 도움을 주지만 경기관람과 원정응원 등으로 시민들이 만들어 나가는 시민프로축구단 대구FC의 새로운 시대를 열고 있습니다.

우리 대구시에서도 시민들의 힘이 빛을 발할 수 있도록 대구FC의 성장을 위해 전용축구장과 클럽하우스를 건립해 선수들이 안정된 여건에서 경기에 집중할 수 있도록 지원을 아끼지 않을 것입니다.

6장

균형발전을 축으로
녹색도시를 그리다

1
지속성장을 위한
2030 도시기본계획

도시란 마치 하나의 생명체 같다는 생각을 합니다. 생성되고 팽창 발전하고 또 쇠퇴하는 주기를 가진 생명체 말입니다. 우리 대구도 마찬가지입니다. 도심이 형성된 뒤 동으로, 서로, 외곽으로 뻗어 나 가며 개발됐습니다. 이제 서남쪽 달성군은 테크노폴리스, 국가산업 단지와 배후도시가 조성되면서 인구가 급격히 늘어 전국 군 단위 기 초단체 중 가장 큰 신도시가 되었습니다. 동쪽 동구와 수성구는 혁 신도시와 이시아폴리스, 수성알파시티와 대구스타디움이 들어섰습 니다. 이렇게 외곽 지역이 팽창하는 동안 도심은 낡고 쇠퇴하고 말 았습니다.

과거에는 서구가 '최고의 구'라 불렸고 남구 대명동 일대를 가장 살기 좋은 곳으로 여겼지만 요즘에는 '너무 낙후됐다'는 주민들의 하소연이 들려옵니다. 대구시가 개발을 시작할 때만 해도 수성구는 논밭이 가득했지만 지금은 최고의 주거지역으로 손꼽힙니다. 하나

안심연료단지 입주업체대표자 간담회

의 도시 안에서도 지역 내 불균형이 커지고 삶의 질에 차이가 나고 위화감이 조성된다면 그것이 과연 좋은 공동체일까.

하늘을 나는 새의 날개가 어느 한 쪽으로 치우쳐지면 제대로 날 수 없듯 우리 사회도 마찬가지일 것입니다. 이념이든, 개발이든, 어느 한 쪽으로 치우쳐서는 원활히 운영될 수 없겠죠. 도시 전체가 함께 성장할 수 있도록 낙후된 지역을 발전시켜 도시의 균형을 맞추는 노력은 계속돼야 할 것입니다. 어디에서 살더라도 행복한 대구 시민으로 살아갈 수 있도록 균형 잡힌 도시 환경을 만드는 것은 우리의 과제입니다. 우리는 '2030 대구 도시기본계획'을 짜고 있습니다.

안심연료단지를 안심 뉴타운으로

새로 개발된 외곽 지역보다 오히려 도심이 낙후되는 현상. 이는 앞서 산업화를 진행한 많은 나라들이 직면했던 문제요, 현재 우리 대구의 문제입니다. 이제는 낙후한 도심을 '재창조'하고 방치되었던 부도심들을 본격 개발해야 할 때입니다. 제일 먼저 '안심'이 부도심

권으로서 도시 기능을 회복하고 지역 경제를 활성화 시킬 수 있도록
'안심 뉴타운' 개발 사업을 추진하고 있습니다.

그동안 안심연료단지에서 발생하는 비산먼지 등은 주민들의 건강
을 위협해왔습니다. 주거지 주변에 들어서기에는 부적합한 연탄 공
장과 레미콘 공장들 때문에 주 환경뿐만 아니라 주민들의 건강에도
심각한 피해를 주는 열악한 생활환경을 개선해 나가기로 했습니다.
2015년 말 개발 계획을 수립한 뒤 꾸준히 준비해왔고 2018년 단지
조성공사에 착공해서 오는 2021년 준공을 마칠 예정입니다. 앞으로
칠곡, 월배, 화원 등의 부도심도 체계적으로 관리하고 하나하나 개
발해나갈 예정입니다.

검단들을 미래형 복합단지 금호워터폴리스로

금호강을 끼고 뱃머리처럼 나와 있는 검단들은 대구의 노른자위
땅으로 여겨져 왔습니다. 그러나 십수 년 동안 개발을 미루면서 개
발제한과 완화를 반복하는 동안 난개발의 상징으로 전락할 처지에

금호워터폴리스

있습니다. 더 이상 미룬다면 개발의 기회를 영영 놓쳐버릴지도 모릅니다. 그래서 '금호워터폴리스 계획'을 세웠습니다. 금호강 수변과 유통단지와 연계한 첨단 미래형 복합산업단지로 개발함으로써 대구의 미래산업의 경쟁력을 강화하고 지역경제 활성화에 도움을 줄 것으로 기대합니다. 2018년 말 착공해 2021년 12월 준공을 목표로 하고 있습니다.

도심, 대구의 역사를 다시 찾다

달성토성 복원을 위한 동물원의 이전과 대구대공원 개발 문제도 20여 년 동안 방치된 대구의 숙원 사업입니다. 1993년 자연공원으로 지정되고도 오랜 세월 방치되었던 대구대공원에 달성공원 동물원을 확장 이전하고 반려동물테마파크와 힐링 공간을 조성할 예정입니다. 그리고 동물원을 이전한 후 달성토성을 본격적으로 복원함으로써 1,800여 년 전 대구의 역사를 다시 찾도록 할 것입니다. 대구대공원이 조성되면 대구스타디움, 대구미술관, 간송미술관과 연계한 시민 힐링 공간이자 관광 자원이 될 것으로 기대합니다.

달성토성으로 둘러싸인 달성공원

　달성토성의 복원은 사적으로 지정된 '경상감영'과 함께 대구의 역사적 상징성을 회복시킬 것입니다. 이를 계기로 도심은 역사문화공간으로 재창조하고 개발의 축은 동과 서로 뻗어 나가게 하는 것이 대구의 균형발전과 미래를 위한 우리의 큰 그림입니다.

2

균형발전을 위한 두 개의 축

동쪽의 새로운 성장 거점, 동대구역복합환승센터

동대구에 탄생한 새로운 랜드마크, '대구신세계백화점'과 '동대구역복합환승센터'. 그 성공적인 개장으로 동대구 역세권은 새로운 발전의 전기를 맞이했습니다. '동대구역복합환승센터'는 고속철도와 도시철도, 고속버스와 시외버스 등 대중교통수단이 원스톱 환승체계를 구축하는 동시에 백화점과 공연장, 수족관, 테마파크 등이 들어선 상업과 문화의 중심으로 떠올랐습니다.

고속철도와 여객자동차터미널을 한 곳에서 환승할 수 있어 교통 서비스 수준이 향상된 것은 물론 지역 경제에도 이바지할 수 있었습니다. 건설단계에서 7,000명, 운영단계에서 8,000명 도합 1만 5,000명의 고용창출을 해냈고 생산유발 2조 4,000억 원과 부가가치 유발 1조 2,000억 원의 경제적 효과를 가져 왔습니다.

또한 동대구역 앞 2만 6,000제곱미터의 '대규모 광장'을 3개의 테

새롭게 단장한 동대구역 광장과 동대구역복합환승센터

마 공간으로 만들었습니다. 대구의 분지를 상징하고 미래의 열린 마당을 표시하는 온대구 광장, 사람을 만나고 기다리는 삶의 공간인 컬러풀 가든, 지속가능한 생명의 숲인 노을공원이 그것입니다. 이들 공간에 심어진 2만 5,000여 그루의 수목과 더불어 시민들의 쉼터가 되어줄 것입니다.

서대구권 대개발의 출발, 서대구 고속철도역 건설

동대구역복합환승센터의 개장으로 도심복원을 위한 동쪽축은 완성되었습니다. 이제 서대구 개발축이 필요했습니다. 노후한 산업단지를 리모델링해 서부권 개발의 새시대를 열도록 했고 '서대구 고속철도 역사'를 건립하기로 했습니다. SRT 및 포항 KTX 개통으로 포화 상태인 동대구역사의 기능을 분산하는 동시에 서남부지역의 산

2020년 완공 예정인 서대구 고속철도역 조감도

업단지에 접근성을 높여 낙후된 서대구지역의 균형발전을 도모할 수 있는 새로운 전기가 마련될 것입니다. 대구로 오는 관문이자 서대구의 새로운 랜드마크가 되어줄 서대구 고속철도 역사 설계에 과감하게 예산을 투입했습니다. 서대구 고속철도 역사 건립과 함께 서대구 역세권 개발에도 탄력이 붙을 것입니다.

동대구역복합환승센터와 서대구 고속철도 역세권이라는 두 축을 사이에 두고 이제 대구는 도심의 역사와 문화를 복원하는 도시재생이 본격적으로 이뤄질 것입니다. 낙후된 도심을 재창조하고 대구의 균형발전을 완성하는 일은 이제 시작입니다.

3

상생과 협력의 레일로드

화원과 하양까지 더 편리해진 도시철도

달서구 대곡동에서 달성군 화원읍 설화리에 이르는 구간까지 도시철도 1호선을 확충했습니다. 2016년 개소된 설화명곡역과 화원역. 두 곳을 이용한 시민들은 2016년 평균 7,500여 명, 2017년 평균 8,000여 명을 훌쩍 넘었습니다. 2017년 4월에는 누적 이용객 180만 명을 돌파할 정도. 이는 교통비용을 매년 230억 원 절감하는 효과를 가져와 앞으로 30년 동안 약 7,000억 원 정도의 편익을 가져다줄 것으로 예상됩니다.

학교나 직장 때문에 '경산'으로 가는 사람들로 늘 붐벼온 상습정체 구간 국도 4호선 문제를 해결하기 위해서 도시철도 1호선을 확충했습니다. 대구 안심역부터 경산 하양역까지를 연결키로 한 것. 2017년 11월 기본 및 실시설계를 완료했고 오는 2021년 완공될 예정입니다. 이로써 도시철도 1호선은 총 연장이 30.92킬로미터로, 역

대구도시철도 1호선 서쪽 연장구간(대곡역~화원역~설화명곡역)이 개통식

사는 30개에서 32개로 늘어나 철도수송 분담률이 높아져 교통 환경이 크게 개선될 전망입니다.

대구권 광역철도와 대구산업선철도

구미, 동대구, 경산에 이르는 연장 61.85킬로미터의 '대구권 광역철도'가 2019년이면 그 모습을 드러냅니다. 새롭게 철도 노선을 건설하는 것이 아니라 기존 경부선 여유 용량을 활용할 수 있어 적은 비용으로 구축할 수 있었는데요. 대구·경북이 힘을 모아 철도서비스 낙후 지역을 개발해 대학생, 직장인 등 지역 주민의 교통 편의를 높일 수 있게 된 것입니다. 대구권 광역철도로 대구경북의 도시 간 연계성이 강화되고 도시별로 역할이 분담돼 대구광역경제권 활성화에 크게 이바지할 것으로 기대됩니다. 구미에서 경산까지 1단계 구간을 완료한 뒤 밀양, 영천, 경주까지 단계별로 확대하는 방안을 적극 검토할 것입니다.

대구 전체 산업단지의 85%가 집중돼 있는 서남부지역에는 34만

달빛내륙철도 노선도

명의 근로자와 148만 명의 주민이 거주하는데도 연결되는 철도망이 없어서 출퇴근 교통과 물류수송이 불편하고 근로자 채용에도 어려움을 겪고 있습니다. 대구 서남부권 산업을 활성화시키고 주민의 편의를 위해 서대구역에서 달성국가산단을 연결하는 '대구 산업선 철도' 건설을 추진하고 있습니다. 이 노선은 앞으로 경북뿐만 아니라 경남까지 연계되는 서남부경제권의 핵심 인프라가 될 것입니다.

영호남이 손잡은 달빛철도

소백산맥이 가로막고 있는 영호남은 예로부터 오가기 불편해 교류가 쉽지 않았습니다. 그러다 보니 오랜 시간 영남은 영남끼리, 호남은 호남끼리 뭉쳐왔고 급기야 우리나라의 고질적인 문제인 '지역 갈등'의 중심에 서 있기도 합니다. 세계 유일한 단일민족이요, 하나의 대한민국 국민으로서 부끄러운 일이 아닐 수 없습니다. 이제 영

호남이 손잡고 하나의 대한민국을 이루는 데 앞장서야 합니다.

길이 열리면 사람과 물자가 오가고 인심도 전해집니다. 2016년 대구-광주간 88고속도로가 달빛고속도로로 확장 개통되면서 대구와 광주의 거리는 대폭 단축되었고 왕래객의 수도 급증하고 있습니다. 이제 영호남 교류는 단순한 인적교류를 넘어 남부권 경제공동체 형성이라는 더 큰 비전을 가지고 나아가야 합니다.

'달빛내륙철도' 건설은 그 비전을 달성하는 첫걸음입니다. 대구에서 시작해서 고령, 합천(해인사), 거창, 함양, 남원, 순창, 담양을 거쳐 광주까지 영호남 9곳의 주요 거점도시를 연결하는 총연장 191킬로미터 노선입니다. 이 철도가 완성되면 대구에서 빛고을 광주까지가 1시간 생활권에 접어들게 됩니다. 이 철도는 영호남 1,300만 명을 아우르는 초광역 남부경제권을 구축하는 핵심 인프라가 될 것입니다.

달빛내륙철도 건설을 위해 대구와 광주가 손을 맞잡았습니다. 대구시와 광주시는 이미 2017년 7월 달빛내륙철도 조기 건설을 위해 달빛내륙철도 추진협의회를 구성하여 공동선언을 발표했고 10

월에는 노선이 통과할 9개 지자체의 실무자협의회도 발족하였습니다. 대구시와 광주시는 2018년 3억 원을 투입하여 자체 사전타당성 용역을 수행하고 그 결과를 바탕으로 중앙정부의 국가철도망 구축계획에 반영시키고 2020년까지 정부의 예비타당성 심사를 완료한다는 일정을 추진하고 있습니다. 오랜 시간 가로막혀 있던 동서 간 인적·물적 교류가 더욱 활발해질 것이며 국민 대통합에도 이바지할 것이라고 기대합니다.

4

대구의 보물 신천을 더 새롭게
– 신천 프로젝트!

환경은 보호가 아닌 복원이다

지난겨울은 유난히도 추웠습니다. 북극 얼음이 녹아내린 탓에 한 파가 휘몰아친 것입니다. 봄에는 미세먼지, 여름에는 이상고온, 지구는 끊임없이 우리에게 신호를 보내고 있습니다. 더는 지구의 경고를 무시해서는 안 됩니다. 지금까지는 환경을 어떻게 '보존'할 것인가를 고민했지만 그러기엔 너무 많은 환경이 파괴됐습니다. 산업을 발전시키고 '개발'하는 데 치우친 나머지 소중한 환경을 돌아보지 못했던 우리의 과오입니다. 이제 파괴된 환경을 '복원'해야 할 때입니다. 인류가 파괴한 환경을 인류가 창조한 과학기술과 산업으로 되살릴 방법을 찾아야 합니다. 개울물을 마시고, 미역을 감으며 자연과 뛰놀던 추억을 아이들에게도 주고 싶습니다.

대구 도심을 가로지르는 신천은 과거 『경상도지리지』, 『세종실록지리지』에도 기록될 만큼 오랜 시간 함께해온 하천입니다. 지금도

신천과 시가지

벚꽃과 개나리 명소이고 나들이하기 좋은 곳이지만 일부 구간의 악취 문제가 있습니다. 어떻게 해야 우리의 신천을 더 건강한 모습으로 시민에게 돌려줄 수 있을까. 우리는 신천의 수질과 생태 환경을 '자연형 하천'으로 복원하고 자연과 사람이 공존하는 생태문화공간으로 만드는 '신천 프로젝트'를 계획했습니다.

하루 10만 톤 낙동강 표류수를 추가로 신천에 끌어올 계획입니다. 낙동강 물을 공급하면 유량이 풍부해져 신천과 금호강 수질까지 함께 개선되는 효과를 기대할 수 있습니다. 하천 수변의 생태공간을 조성하고 더욱 다양한 생물들이 살 수 있는 환경을 만들어 건강한 생태계를 회복하도록 노력할 것입니다.

시민들을 위한 복합 문화공간으로

생활공간과 접근성이 떨어지는 단점을 극복하기 위해 '김광석 다시그리기 길'에서 신천으로 갈 수 있는 '신천녹도'를 만들기로 했습

신천에 서식하는 멸종위기 야생동물 1급 천연기념물 수달

니다. 녹도 위에는 신천수달생태관이 조성됩니다. 도심 속 하천 가운데 유일하게 멸종위기종인 천연기념물 수달이 사는 신천의 특징을 최대한 살려나갈 것입니다.

시민들을 위한 역사문화공간도 조성할 예정입니다. 서거정이 대구의 아름다움을 노래한 대구십영十詠 중 하나인 '침산만조'를 테마로 금호강의 낙조를 바라보는 체험마당, 공룡발자국 화석을 볼 수 있는 공룡놀이마당, 하늘빛 분수 등이 바로 그것입니다. 더불어 신천 곳곳에 공공 와이파이를 구축하고 모바일 앱을 만드는 '스마트 신천'을 위한 노력도 진행됩니다.

2017년부터 착수한 신천 프로젝트는 2025년 완성을 목표로 달리고 있습니다. 신천과 범어천 유역의 오우수관 분류화 사업이 마무리되는 2025년 이후에는 신천의 수질이 2급수 이상으로 좋아질 것이라고 기대하고 있습니다. 어린 시절 하천에서 미역 감고 뛰놀았던 기억을 우리 아이들에게도 물려줄 수 있겠죠? 시민들에게 더욱 가까이 다가갈 수 있는 건강한 공간으로 다시 태어날 신천의 모습이 기대되고 또 기대됩니다.

5

클린 업! 공기를 바꾼다

배기가스 없는 전기차

우리 대구는 산으로 둘러싸인 분지라 공기가 쉽게 이동하기 어려운 지형입니다. 또 강수량이 적어 대기 중 미세먼지를 씻어내지 못하는 탓에 대기질 개선이 더욱 쉽지 않습니다. 봄철에만 기승이던 미세먼지가 2018년 겨울에도 찾아왔습니다. 마스크로 무장하고 길을 나서는 어린이들과 어르신들을 보면 마음이 짠합니다. 하루빨리 아이들이 안심하고 밖에서 뛰놀 수 있는 환경을 만들어야 할 텐데 마음이 급해집니다.

물산업, 에너지, 미래형 자동차 등 우리가 집중하는 미래형 산업은 파괴한 환경을 복원하면서 친환경 도시로 가는 산업입니다. 환경정책과 산업 정책은 이제 떼려야 뗄 수 없는 문제입니다. 미세먼지의 주범인 자동차 배기가스를 줄이기 위해서라도 친환경 전기자동차 보급은 중요합니다. 2017년 기준으로 대구의 전기자동차는 공공

기관 148대와 민간 2,293대로 총 2,441대를 넘어섰습니다. 제주와 서울에 이어 전기자동차 보급 순위 3위이고 2019년에는 서울을 넘어 전국 2위로 올라설 것입니다.

환경부 보급계획이 2020년까지 전국 25만 대인 것에 비해 우리는 2020년까지 5만 대를 보급하고 2030년까지 50만 대를 보급하는 것이 목표입니다. 이 목표가 달성되면 대구 전체 승용차의 절반 이상이 전기자동차로 바뀔 것입니다.

초미세먼지 20% 저감

미세먼지 중에서도 특히 입자가 작은 초미세먼지(PM 2.5)의 피해는 더욱 심각합니다. 머리카락의 약 1/20~1/30 정도로 작은 입자는 목구멍이나 코점막을 통과해 폐와 기관지는 물론 심지어 뇌까지 도달[8]해 우리 건강을 위협하는 것으로 알려졌습니다.

우리는 초미세먼지(PM 2.5) 20% 저감대책을 시행하고 있습니다. 전기자동차 보급을 늘리고 자동차 배기가스를 줄이기 위해 '경유차 저공해화' 사업도 추진해왔습니다. 경유차 조기폐차를 권장해

성당못과 두류공원 전경

2,250대를 폐차했고 1,244대에 매연 저감장치를 부착했습니다. 특히 어린이 통학차량을 경유차보다 친환경적인 LPG 차량으로 바꾸는 사업도 하고 있습니다. 짧은 기간의 노력이지만 2015년 26$\mu g/m^3$에서 2016년 24$\mu g/m^3$, 2017년 22$\mu g/m^3$으로 2년 연속 줄어들고 있습니다.

총 13개소에 도시대기측정망을 설치했습니다. 대기 내 미세먼지는 물론 아황산가스, 일산화탄소, 오존 등과 온도, 습도까지 24시간 측정하고 감시해 실시간으로 공개하는 시스템입니다. 이를 통해 대기질을 실시간으로 모니터할 수 있게 됩니다. 또한 앞으로 안개분무형 살수차를 도입하고, 도로먼지 진공차와 살수차를 확충해 더욱 깨끗한 대기질을 만들기 위해 노력할 것입니다.

쾌적한 도시철도

지하에서 열차가 달리다 보니 환기가 쉽지 않아 공기질 문제가 꾸준히 제기된 지하철 역사. 미세먼지를 줄이고 공기질을 향상시킬 대책을 마련해야 했습니다. 미세먼지를 줄이기 위해 본선터널을 물 세척하고 진공흡입 청소를 했습니다. 환기설비를 가동하고 공조기 필터를 청소하고 교체하는 것도 게을리하지 않았습니다. 안전을 확보하는 동시에 28%의 미세먼지 저감 효과를 가져오는 스크린도어도 전 역사에 설치했습니다.

'대구보건환경연구원'에서는 상시적으로 지하철 공기질을 측정하고 모니터링합니다. 미세먼지, 황사, 오존 등 5개 항목을 실시간으로 측정하고 정보를 공개하도록 했는데요. 기준치가 넘으면 경보 시스템을 발령해 실시간으로 대처할 수 있게 된 것입니다.

대구 도시철도의 미세먼지도 점점 줄어들고 있습니다. 2017년 조사결과 1호선 70.3$\mu g/m^3$, 2호선 51.7$\mu g/m^3$, 3호선 19.0$\mu g/m^3$. 기준치인 200$\mu g/m^3$보다 매우 양호한 수치입니다. 열심히 노력한 끝에 2014년 공기질 개선대책을 마련한 뒤 25.5% 감소한 수치입니다. 2007년에 비하면 35%가 줄었습니다. 앞으로 환기설비 가동시간을 늘리고 청소 횟수를 늘리는 등 더욱 깨끗한 환경을 제공하도록 노력할 것입니다.

염색산단 대기질 개선

대기오염물질 발생원이 밀집된 염색산단 지역. 섬유제조업 125곳과 하수처리시설과 공동폐수처리장 등이 모여 있어 악취까지 심해 주민들의 불편과 민원이 증가하고 있습니다. 염색산단을 다른 곳으로 옮기자는 요구도 있었지만 현실적으로 해법을 찾기는 쉽지 않았습니다. 서대구 역세권 개발과 함께 장기적인 관점에서 근본적인 해법을 찾을 수밖에 없습니다. 그렇다고 주민들의 현실적 고통을 더

염색산업단지 열병합발전시설

이상 외면할 수는 없습니다. 우선 악취 모니터링 시스템을 구축하고 악취 감시 센스 18개, CCTV 2개소를 설치하는 등 대기질 개선과 악취 저감대책을 추진하고 있습니다.

특히 탈황 탈진시설을 설치하는 등 '염색산단 열병합발전시설 오염방지시설'을 개선하는 데 힘을 쏟았습니다. 대기질을 분석하고 산단별 공해방지 대책을 수립하기 위해 서울시립대학교에 '산업단지 공해해결방안' 연구용역을 맡겼습니다. 2017년 9월부터는 대기오염물질 방지시설을 시범 가동한 결과 대기오염물질 배출량이 현재 규제 기준치의 20% 이하로 많이 줄어들었습니다. 2018년부터는 배출 규제 기준을 강화해 구미나 부산 등 다른 공단보다 훨씬 엄격하게 관리할 계획입니다.

6

푸른 대구 만들기

푸른 숲이 분지를 살린다

산과 물이 잘 어우러진 대구는 빼어난 도시환경을 가지고 있습니다. 다만, 분지 도시의 특성상 여름에는 불볕더위에 시달려야 하고 미세먼지와 악취 등이 '바람길'을 타고 빠져나가지 않는 것이 문제입니다. 공기가 잘 순환되지 않는 한계를 극복하기 위해서라도 나무를 많이 심어 공기를 정화해야 합니다. 나무와 숲은 폭염을 막아주는 역할도 합니다. '푸른 대구 가꾸기'는 분지의 단점을 커버하는 좋은 장치가 될 것입니다.

지금 대구의 나무는 3,400만여 그루입니다. 2017년부터 5년 동안 1,000만 그루 나무 심기 운동을 펼치기 시작했습니다. 수목원과 숲을 가꾸고 도심 속 녹지공간을 최대한 확보해서 분지가 가진 환경문제를 극복해나갈 것입니다.

대구수목원

시민의 힐링을 위한 도심 속 녹지공간

녹지 공간은 시민들의 여가 생활의 질을 높여주기도 합니다. 쓰레기매립장을 활용한 도심형 수목원으로 대구를 대표해온 대구수목원. 지금의 인프라로는 관람객 수용에 한계를 보이는 만큼 세 배 규모로 확장할 예정입니다. 열대과일원, 약초동산 등 테마공간 8종, 산림휴양시설 4종을 내년까지 추가로 조성합니다. 동구에도 제2수목원을 조성할 계획입니다. 현재 대구수목원 이용객 분산효과도 있고 동구, 수성구 등 동부권 주민들이 여가를 즐길 수 있는 공간이 될 것입니다.

도심 속 근린공원, 어린이공원, 소공원 등과 유원지도 대거 정비하고 있습니다. 여가 생활과 노후를 즐기려는 주민들을 위해 거주지역 주변의 '생활권 공원'들을 재정비하기 시작했습니다. 이미 2016

서구청 옥상

년 52개소, 2017년 47개소의 환경개선이 진행됐고 2018년도 82개소를 추가할 예정입니다. 서대구 역세권 개발과 연계하여 달서천·북부하수처리장과 염색산단 폐수처리장은 지하로 통합시키고 상부는 '도심공원'으로 꾸며 시민들이 즐길 수 있는 녹지공간을 확보할 계획입니다.

푸른 도심 만들기

푸른 대구를 만드는 움직임이 활발하게 일어나고 있습니다. 옥상에 식물을 심는 '푸른 옥상 가꾸기'는 도심 열섬현상과 열대야를 막고 생태휴식공간이 되었습니다. 공공부문 4개소와 민간부문 44개소에 에너지 절감 효과 또한 가져왔습니다. 도심 생활권 내 녹지공간을 위해 자투리땅과 교량, 교각, 도로포장면 등에 녹지 사업을 했고

'도시숲'과 '나눔숲'을 만들어냈습니다. 대구의 첫인상이 되어줄 나들목과 하천변 경관을 개선하고 양버즘나무를 심어 특색 있는 전정 작업을 해 '가로수 특화거리'도 만들었습니다. 금호강에는 산수유 특화단지를 조성하고 있습니다.

금호강 주변에 방치된 유휴토지에는 생태광장을 만들고 금호강 둔치에 테마숲, 생태원, 탐방로 등을 조성하고 있습니다. 또한 금호강과 연접한 환경오염원인 축사시설 등을 정비해 수질을 개선하고, 친환경적 수변공간을 조성할 계획인데요. 이곳은 대구의 '녹색 힐링 벨트'로 만들어 금호강과 주변 산림 등 수려한 자연에서 휴식을 취할 수 있도록 할 것입니다.

걸으면 더 건강한 푸른 숲

대구를 둘러싼 우수한 산림 자원을 활용해 '치유의 숲'도 조성하고 있습니다. 시민들의 건강증진을 위한 산림복지서비스로 숲길과 탐방로를 개설했고 앞산에도 생태탐방로 18킬로미터와 생활권 등산로 331킬로미터를 정비했습니다.

우리 민족의 명산이자 대구경북의 역사적 숨결이 살아 있는 팔공산에도 둘레길을 만들고 있습니다. 그동안 많은 시·도민들이 등산로와 능선을 따라서 등산을 즐겨왔지만, 하나로 연결되는 길은 없었습니다. 총 108킬로미터에 이르는 팔공산 둘레길을 2014년부터 4개년 계획으로 조성하고 있습니다. 이것이 완공되는 2019년이면 대구와 경북이 하나로 연결되어 팔공산을 즐길 수 있게 됩니다.

7장

세계를 향한 날갯짓,
대구경북 통합신공항

1

포화 상태에 이른 대구공항

만년 적자였던 대구공항이 개항 55년 만인 2016년에 처음 흑자를 기록했고 2017년에는 이용객 350만 명을 넘어섰습니다. 지난 3년 동안 3개에 불과했던 국제노선은 15개 노선으로 늘어났습니다. 하지만 기대가 높았던 대구-호치민 정기노선은 무산되고 말았습니다. 2016년 말부터 9개월간 베트남 국적 항공사를 신규 취항하기 위해 백방으로 뛰었지만 안타깝게도 성과를 낼 수 없었습니다. 더 이상 운항 스케줄을 잡을 수 없었기 때문입니다.

지금 대구공항은 K-2 공군기지의 활주로를 민항기가 함께 쓰는 민군 겸용 공항입니다. K-2 공군기지의 전투기 훈련이 있기 때문에 민항기의 시간당 최대 활주로 이착륙 횟수(슬롯)가 6회로 제한돼 있습니다. 더 이상 슬롯을 늘릴 수 없는 사실상 포화 상태입니다. 주말이면 시간당 24회까지 이착륙을 허용하는 김해공항과 비교하면 확연히 적은 수치입니다.

대구국제공항

만년 적자에서 탈피해 발 빠르게 발전했지만 태생적인 한계는 넘어설 수가 없어 보입니다. 지금 대구공항의 2,755미터 활주로는 6시간 이내에 갈 수 있는 단거리 노선만이 운항 가능합니다. 하지만 도심지와 주택가에 둘러싸여 확장조차 어려운 상황이고 탑승과 급유 등을 하는 일종의 여객기 주차장인 주기장도 포화 상태입니다. 지난해 350만 명을 넘었고 2018년에는 한계 수용인원 375만 명을 초과할 것으로 예상됩니다. 우리는 더 큰 그림을 그려야 했습니다.

지혜로운 해법이 필요한 공항

대구공항은 1936년 일본이 한국의 식민지화와 전쟁물자 조달을 위해 건설된 뒤 6.25 전쟁 때 군용 활주로로 활용되다가 1970년대 김포에 있던 제11전투비행단이 대구로 이전하면서 K-2 군공항이 됐습니다.

대구국제공항 항공여객 300만 명 기념행사

　민간항공이 처음 취항한 것은 1961년 대구-김포 노선이 운영되면서부터입니다. 이때만 해도 대구공항은 대구의 외곽지역에 있었지만 도시가 팽창하면서 어느덧 도심 한가운데에 있게 되었습니다. 그러다 보니 많은 주민들이 소음피해에 시달려야 했고 고도제한 탓에 도시 발전에 큰 걸림돌이 되어왔습니다.

고통스러운 전투기 소음 피해

　도심에 위치한 공항으로 인한 가장 큰 피해는 단연 소음입니다. 전투기가 활주로를 박차고 오르면 날카롭고 귀가 찢어질 듯한 소음이 이어집니다. 이야기하던 사람들도 전화통화 하던 사람도 대화를 중단할 수밖에 없습니다. 전투기 소음 때문에 날이 더울 때도 창문을 열지 못하는 시민들이 부지기수입니다. 우리나라에 있는 16개의 전술항공기지 중에서도 소음이 심하기로 손꼽히는 곳으로 하루 200여 차례의 전투기 이착륙으로 주민들이 소음 피해를 호소해왔습니다.

소음피해·고도제한 및 배상액 현황(2017. 10. 31 기준)

구 분	대 구	광 주	수 원	비 고
피해인구(명)	238,895	11,622	139,822	75웨클 이상
고도제한(㎢)	114.33	57.57	58.44	
학교(개소)	39	3	14	
배상액(억 원)	3,061	0.13	1,477	

항공기 소음은 단순히 소리 크기만을 나타내는 단위인 데시벨$_{dB}$과 달리 항공기가 이착륙할 때 발생하는 소음에 운항 횟수, 시간대, 소음의 최대치 등에 가중치를 주어 종합평가하는 웨클을 적용합니다. 일반적으로 70~75웨클이면 일상생활에 큰 불편을 느끼게 됩니다. 그런데 우리 대구에 75웨클 이상의 전투기 소음에 고통받는 시민은 24만 명에 이르고 있습니다.

우리처럼 전투기가 가동되는 광주에 비해서는 20배이고 수원에 비해서도 2배를 훌쩍 넘긴 수치입니다. 2005년부터 2014년까지 7개 지점을 조사한 결과 한 곳을 제외하고는 모두 75웨클 이상이었고, 특히 일상대화나 전화통화조차 불가능한 수준인 85웨클 이상인 지역은 지저동(84~86웨클)과 용계동(80~88웨클), 신평동(88~94웨클)을 비롯해 방촌동(75~80웨클)까지 동구의 4개 지점이나 되었습니다.

시민들의 고통은 물론이요, 피해 인구에 지급해야 하는 배상액도 만만치 않습니다. 지난 2010년부터 대법원의 판결에 따라 소음 85웨클 이상 가구에 배상금을 지급했고 추가로 소송 진행 중인 11만 명과 전투기 이착륙 경로에 있는 북구 주민들까지 합치면 소음피해 배상액만 연간 500억 원에 이를 것으로 추산됩니다. 2017년 7월 기준 K-2 소음피해 배상액은 이미 3,000억 원을 넘어섰습니다. 소음 배상 기준이 75웨클로 낮춰짐에 따라 배상액은 더욱 커질 것으로 전망됩니다.

2

시민이 주도한 K-2 이전의 역사

고도제한에 발목 잡힌 대구 발전

지난 80년간 K-2 군사기지 및 군사시설보호법에 따른 각종 규제는 대구 발전을 저해하는 가장 큰 장애물이었습니다. 1972년 국방부가 지정한 비행안전구역에 따라 K-2 주변 62.3제곱 킬로미터는 고도제한 구역에 들어갑니다. 이는 K-2 면적인 6.61제곱 킬로미터의 9배가 넘습니다. 대구 전체면적의 13.6%가 고도제한 구역인 셈이고 팔공산 등 자연환경을 빼고 나면 도심의 3분의 1에 가까운 면적이 고도제한에 걸려 있는 것입니다.

고도제한 지역인 검단들과 복현동, 신암동, 신천동, 불로동 등을 보십시오. 제대로 된 도로망조차 구축하기 어려운 것은 물론 살기 좋은 주거환경을 조성하기 어려운 여건이지 않습니까? 이런 고도제한 지역에 거주하는 주민은 무려 60만 명이나 됩니다.

현재 추진 중인 개발 사업에도 영향을 주고 있습니다. 북구 검단들에 추진 중인 '금호워터폴리스' 개발 사업도 고도제한 탓에 주거용지를 애초보다 축소하거나 조정하는 어려움을 겪었습니다. 동구 안심연료단지 일대의 안심지구 개발사업도 2022년 예측 항공기 소음이 75~85웨클 수준이어서 향후 수거시설을 조성하는 데 걸림돌이 되고 있습니다.

군부대 안 탄약고로 인한 '폭발물 제한구역'도 재산권 행사에 제약을 줍니다. 최근 국방부가 탄약고 이전 계획을 세우는 등 개선안을 내놨지만 턱없이 부족합니다. 대구경북연구원에 따르면 K-2 군공항으로 발생하는 개발 피해액만 최소 3조 원이요. 낙후된 K-2 주변 8개 동에서 연평균 인구가 0.18%나 감소[9]했습니다. 이는 대구 전체인 -0.02%보다 훨씬 큰 폭이기도 합니다.

K-2 공군기지 역시 도심 속에 위치해 항공 작전 장애요인이 있고 훈련에 애로를 겪고 있습니다. 또한 우리 공군의 최정예 주력기인 F15-K 전투기의 원활한 작전수행이 가능하도록 군사시설을 현대화하고 군 전력을 강화하기 위해서라도 공군기지 및 공항 이전은 필요합니다. 대구를 위해서 더 나은 공군기지를 위해서 K-2 이전은 꼭 필요합니다. 이것은 우리 대구 시민들의 오랜 숙원이기도 합니다.

정부의 거듭된 K-2 이전 무산

2007년 11월 동·북구 피해주민을 주축으로 'K-2 이전 주민비상대책위원회'가 발족됐습니다. 시민 40만 명이 서명운동을 했고 설문조사 결과 92.6%의 주민들이 이전에 찬성했습니다. 그동안 대구 시민들은 K-2 군공항 이전을 정부에 줄기차게 요구했습니다. 이에 2007년과 2012년 대통령 선거 공약에도 이명박, 박근혜 정부의 국정과제에도 K-2 공군기지 이전은 늘 있었습니다. 하지만 다른 지역과의 형평성과 대규모 재정을 투입할 수 없다는 이유로 번번이 무산되곤 했습니다.

그러는 동안 우리 시민들의 피해는 계속돼왔습니다. 더 이상 기다릴 수만은 없었습니다. 국가 재정사업이 아닌 새로운 대안이 필요했습니다. 2013년 4월 5일 마침내 「군 공항 이전 및 지원에 관한 특별법」이 제정됐습니다. 이 특별법으로 정부가 예산을 직접 투입하지 않고 현물재산인 종전 부지를 활용한 '기부 대 양여' 방식으로 군 공항을 이전하는 새로운 길이 열렸습니다.

스스로 해결한 재정문제, '신공항'이 답이다

'기부 대 양여' 방식은 사업시행자가 자금을 조달해 군이 원하는 장소에 새 기지를 건설해 국가에 '기부'하고 국방부로부터 현 K-2 부지를 '양여'받아 그 개발 이익으로 사업비를 충당하는 방식입니다. 대구시가 새 기지를 지어주고 기존에 있던 K-2기지 터를 양여받아서 이를 개발한 이익금으로 이전 비용을 충당하는 것입니다.

그러기 위해서는 당연히 기존 대구공항은 폐쇄하는 게 전제가 돼야 했습니다. K-2만을 이전하려면 비용을 확보할 수 없기 때문입니다. 민항과 K-2가 있는 현 대구공항을 폐쇄하고 새로운 신공항을 짓는 'K-2이전 건의서'를 국방부에 제출했습니다. 우리 대구의 하늘길을 과감히 포기하는 대신 영남권이 다 함께 발전할 수 있는 좋은 위치에 새로운 공항을 건설하기로 했습니다.

그렇다면 영남권 신공항은 어디에 건설해야 하느냐. 물망에 오른 지역은 경남 밀양입니다. 비록 대구경북도 아니고 대구시청에서 73킬로미터 떨어진 곳이었지만 받아들이기로 했습니다. 모든 지역이 자신의 이권만을 주장하고 나선다면 사업을 진행할 수 없는 법. 대의를 위해 한 발 양보하기로 한 것입니다. 지금처럼 도심 3분의 1이 고도 제한에 걸린 상태로는 더 이상 대구의 발전을 기대할 수 없기

통합신공항 대구시민추진단 발대식

에. 그리고 소음으로 시달리는 주민들의 피해를 하루라도 빨리 해결하기 위해서 불가피한 선택이었습니다. 우리는 대구만이 아닌 영남권 모두의 이익과 발전을 위해 '밀양 신공항 건설'을 적극 추진하고 나섰습니다.

정부는 지방을 버렸다?

하지만 정부는 2016년 6월 21일에 영남권 신공항을 건설을 하는 대신 기존에 있는 김해공항을 확장하고 대구공항을 유지하겠다고 발표했습니다. 영남권신공항의 꿈과 K-2 군공항 이전의 희망이 하루아침에 사라지는 날벼락과도 같은 결정이었습니다. K-2 이전은 영남권 신공항이 건설되면 민간공항은 폐쇄하고 현재 대구공항 부지를 개발하는 것을 전제로 추진했기에 대구공항이 남아 있다면 '기부 대 양여' 방식으로 이전사업을 추진하는 것은 불가능합니다.

우리는 분노했습니다. 다음 날 매일신문에서는 신문 1면을 백지 발행했습니다. 광고도 기사도 없는 1면에는 '신공항 백지화, 정부는

남부권 신공항 백지화 진상규명 촉구대회

지방을 버렸다'는 단 한 줄만이 적혀 있었습니다. 우리는 10년여를 갈망했던 사업이 하루아침에 물거품 되는 순간 정부의 결정에 참을 수 없는 배신감을 느꼈고 눈물을 흘렸습니다. 2,000여 명이 모여 신공항 백지화 규탄 및 진상규명 촉구대회를 열고 대구경북 시도민 대표들이 한자리에 모여 정부를 규탄하고 앞으로 대책을 논의했습니다. 그리고 우리의 분노와 요구를 담은 'K-2 이전 및 대구공항 정부대책 촉구 성명서'를 발표했습니다.

대구경북의 국회의원들도 신공항백지화 진상조사단을 구성하고 대구경북의 미래를 위한 새로운 대안을 함께 고민했습니다. 우리의 대안은 K-2 군공항과 민간공항의 통합이전 후 '대구경북 관문공항 건설'이었습니다.

부산, 울산, 경남 지역에서는 정부의 김해공항 확장을 곧바로 수용했습니다. 이런 상황에서 대구경북이 김해공항 확장을 부정하고

영남권 신공항 재추진을 주장한다는 것은 명분과 실리 모두를 잃을 수 있다고 판단했습니다. K-2와 동시에 대구공항을 통합이전함으로써 새로운 통합공항을 대구경북 관문공항으로 건설하는 대안을 제안하며 또 다른 돌파구를 찾아 나선 것입니다.

또한 우리는 영남권신공항 무산이 어쩌면 대구경북에 새로운 기회가 될 수 있다고 생각했습니다. 영남권신공항이 생겨서 대구민간공항이 폐쇄될 경우 K-2 군공항만 이전하는 것은 또 다른 어려움을 안게 됩니다. 과연 군공항만 받아 줄 곳이 있을까? 통합신공항 건설은 전화위복의 계기가 될 수 있다는 희망을 주었습니다.

3

남부권 미래경제의 핵심,
대구경북 통합신공항

남부권 전체를 아우르는 경제 공항으로

남부권에 신공항이 왜 필요할까요. 산업화 시대의 핵심 인프라는 도로와 철도 그리고 항만이었습니다. 그러나 이제 4차 산업혁명 시대는 항만시대가 아닌 항공시대입니다. 국제 항공물류가 가능한 경제 공항이 있어야 지역경제가 발전합니다. 현재 대구공항은 물론 김해공항에도 미주, 유럽, 아프리카, 중동까지 가는 노선은 없습니다. 항공 물류도 처리할 수 없습니다. 대구경북권 항공 물류의 96%는 333킬로미터를 달려 인천공항에서 처리하는 상황입니다.

현재 대구공항은 6시간 이내 거리밖에 갈 수 없지만 의료관광 우수 고객이 많은 카자흐스탄도 7시간이 넘는 거리. 직항편만 있어도 더 많은 카자흐스탄 관광객을 유치할 수 있겠지만 지금으로써는 어림없는 일입니다. 고육지책으로 작은 비행기와 저가 비행기를 유치해왔지만 노선을 늘릴 수도 없고 2018년이면 수용한계 인원을 넘

대구경북 통합신공항 부지 선정을 위해 손잡은 지방자치단체장들

어서게 됩니다.

상황이 이런데도 도심에서 가깝다는 이유로 이미 수용한계인원에 도달한 공항을 유지해야 할까. 대구경북의 경제 발전을 위해서라도 지금의 대구공항이 아닌, 제대로 된 국제공항은 꼭 필요합니다. 통합신공항이 건설되고 여기서 항공물류와 중장거리 노선이 생겨나면 영남지역뿐만 아니라 호남지역에서도 인천공항이 아니라 통합신공항을 이용하게 될 것입니다. 수도권 일변도의 불균형발전시대를 끝내고 침체된 남부권 전체의 경제발전을 위해서도 항공물류와 중장거리 노선의 취항이 가능한 대규모 신공항은 필수입니다.

사회적 합의를 통한 후보지 선정

통합신공항 이전 건설 방침이 확정된 후 관련 절차가 비교적 빠르게 진행되고 있습니다. 2016년 10월에는 K-2 군공항 이전 건의서가 수용되었고 2017년 2월에는 군위 우보와 군위 소보·의성 비안 지역이 예비후보지로 선정되었습니다. 2018년 3월이면 이전후보지가 선정될 예정입니다.

우리는 2023년에 '대구경북 통합신공항'을 완공하는 것을 목표로 잡고 있습니다. 2018년 말까지는 국방부가 '군공항 이전부지 선정위원회'의 심의를 거쳐 최종이전부지 선정에 박차를 가할 것입니다. 이전 주변지역 지원 방안을 토대로 공청회 등을 통해 지역 주민들의 의견을 듣고 지원계획을 수립해야 합니다. 이전 후보지에서는 주민투표를 하고, 지방의회 의견을 반영해 지자체장이 유치 신청을 하고, 이전 부지를 선정하게 될 것입니다. 2019년에는 사업자를 선정하고 2020년부터는 통합신공항 건설과 함께 종전부지 개발에 착수할 예정입니다.

이 큰 틀을 짜기 전 우리는 먼저 우리 지역 주민들의 의견을 모으고 사회적 합의를 거쳐 왔습니다. 지역 오피니언 리더의 의견을 듣고 통합이전을 협의해왔는데요. 먼저 2016년부터 상공계와 시민단체, 기초자치단체장, 지역 국회의원들의 의견을 수렴했습니다. 그다음 2단계로 시민 대표기관인 시 의회가 통합이전에 적극 동의했고 전폭적으로 지원했습니다. 2016년 9월 대구광역시의회 '통합이전 특위'를 구성하고 2017년 5월에는 지원조례를 제정했습니다. 3단계로 구·군 주민 등과 소통간담회로 통합이전에 대한 공감대를 확보했습니다. 앞으로도 시정공감 토크 개최 등을 통해 시민과의 소통을 게을리하지 않을 것입니다.

또한 이전 지역에 현장사무실을 운영해 주민소통간담회를 실시하고 민군관 갈등관리협의체를 운영함으로써 통합신공항 건설이 지역사회의 상생협력 사업이 될 수 있도록 할 것입니다. 이렇게 우리 대구지역은 물론 이전지역 주민들의 뜻을 품을 수 있도록 노력할 것입니다.

8장

36.5도 마음을
나누다

1

시민들 스스로 만든
복지기준선

때로는 복지가 양날의 검처럼 여겨지기도 합니다. 사회적 약자를 돌보고 함께 잘사는 사회를 만드는 건 좋지만, 결국 시민들의 부담이 그만큼 커지는 게 아니냐는 것입니다. 그러다 보니 복지 예산이 많으면 '복지포퓰리즘'이라는 비난이, 적으면 국민의 삶을 돌보지 않는다는 비난이 뒤따르기도 합니다.

복지의 적정선은 어디? - 시민이 만든 복지기준선

하지만 복지는 정치적 갈등이나 국민 간의 갈등을 일으킬 문제가 아닙니다. 복지의 수혜자도 시민이고 그 복지정책을 뒷받침하고 부담하는 사람도 시민입니다. 그런데도 시민들을 제외하고 정책을 결정해야할까요. 지금 주어진 자원을 어떻게 배분할 것인지, 시민의 부담을 어느 정도 늘릴 것인지, 시민들이 선택하도록 해야 합니다. 과연 어느 정도가 복지의 적정선이고, 나아갈 길은 무엇인지 시민들

대구시민 복지기준 대 시민 발표회

이 논의를 통해 결정하는 자리를 만들었습니다.

2016년 4월에 열린 '대구시민원탁회의'. 500여 명 시민 참가자들과 퍼실리테이터가 모였습니다. 다양한 분야의 사람들이 한데 모여 국가 차원의 복지정책에서 부족한 점이 무엇인지, 또 어떤 것이 대구 실정에 맞는 복지인지 다양한 의견을 주고받았습니다. 그 과정에서 복지가 필요한 우선순위를 어느 정도 합의했고 소득, 주거, 돌봄, 건강, 교육 5개 영역별로 우리 여건에 맞는 최저선과 적정선을 논의했습니다. 그렇게 우리 실정에 맞는 대구만의 '복지기준선'을 설계한 것입니다.

2015년부터 대구복지기준선 추진위원회와 TF팀을 구성하고 연구용역을 착수했습니다. 그 결과를 토대로 대 시민 토론회와 이듬해 시민원탁회의를 통해 세부 안을 만들고 2017년부터 계획을 수립하고 이행했습니다. 정부의 일괄적인 복지 기준의 한계를 뛰어넘어 복지 수준을 한 단계 업그레이드시킨 '대구형 복지체계'의 제도적 장치를 우리 시민들의 손으로 만들어낸 것입니다.

2

대구에 딱 맞는 대구형 복지

치매는 대구가 돌본다 – 전국 최초 통합정신치매센터

효를 덕목으로 하는 윤리사상과 오랜 전통의 영향으로 우리나라 노년층의 대부분은 자녀에게 의지하며 살고 있습니다. 그런데 부모가 치매에 걸린다면 그 또한 온전히 자녀와 가족이 책임져야 할까?

사랑하는 부모가 어느 날 갑자기 나를 알아보지 못하고 다시 아이가 되어간다면……. 그 마음을 어찌 말로 표현할까요. 게다가 치매는 24시간 환자를 지켜보고 보호해야 하기에 가족들의 스트레스가 더욱 극심한 질병 중 하나입니다. 환자는 물론 보호하는 가족들의 삶까지 피폐하게 만드는 만큼 사회에서 나서야 하지 않을까. 시 정부나 공동체가 주도하는 치매책임제가 절실했습니다.

우리는 먼저 대구 전역의 8개 구·군 보건소에 '통합 정신치매센터'를 설치하기로 했습니다. 전국 최초로 치매관리와 자살 예방 및 정신건강증진을 통합해 관리하는 센터인데요. 정신 건강과 치매 관

리를 통합해 더 효율적으로 관리하게 된 것입니다.

치매는 치료보다 더 중요한 것이 예방이고 조기진단입니다. 대구형 치매예방 정책의 대표작이 기억학교입니다. 기억학교에서는 어르신들이 치매를 예방할 수 있는 다양한 프로그램이 운영되고 있습니다. 2013년 처음으로 4개소가 개설되었는데 상당한 성과를 인정받아 2018년까지 14개소로 확대될 예정입니다. 때마침 문재인 정부에서도 '치매국가책임제'를 주요 정책으로 발표함으로써 대구시가 선도적으로 추진해온 치매 대책이 더욱 탄력을 받을 수 있게 되었습니다. 치매안심센터를 개소해서 센터를 중심으로 보다 적극적으로 치매 문제를 해결해나갈 것입니다. 더 이상 치매가 가족들끼리 짊어져야 할 짐이 되지 않도록 말입니다.

동의보감 – '읍면동이 의료까지, 찾아가서 보듬는 감동 복지'

복지에서 우선시 되어야 한다고 결정한 것 중 하나는 '의료'입니다. 몸이 아픈데 경제적인 어려움 때문에 병원 치료를 받을 수 없는 '의료사각지대'에 놓은 사람들을 어떻게 도울 수 있을까.

'읍면동이 의료사각지대를 찾아가서 보듬는 감동 복지 동의洞醫보감', 말 그대로 '찾아가는 복지와 의료사업'을 펼치는 세심한 서비스를 구군에서 읍면동 단위까지 확대했습니다. 이는 메디시티 대구의 특성을 살려 민간병원과 복지전담 공무원의 의료서비스를 융합한 대구형 복지 허브화 사업이기도 한데요, 찾아가는 의료서비스를 위해 '우리 동네 동행주치의' 사업을 추진하고 있습니다. 경제적인 어려움으로 의료 혜택을 받지 못하는 취약 계층을 주치의가 직접 찾아가서 돌봐주는 적극적인 의료 복지를 실천하고 있습니다. 또한 달서구에서는 경제적인 어려움으로 의료 혜택을 받지 못하는 취약 계층을 위해 '우리 동네 행복주치의 사업'을 진행하고 있습니다. 정형외

시민건강놀이터 개소식

과, 치과, 안과, 산부인과 등 30여 개의 민간병원과 연계해서 의료사 각지대에 있는 취약 계층의 의료비를 지원하고 있습니다.

어르신 지킴이

평균수명은 늘었지만 이를 따라가지 못하는 건강수명. 그로 인해 어르신들은 한두 가지 만성질환에 시달리며 노후 생활을 합니다. 의료보험을 비롯한 우리나라 보건의료체계는 질병에 걸린 뒤 '치료'해주는 것이 대부분입니다. 하지만 아플 때 치료받는 것은 이미 사후약방문과 같은 대책입니다. 그렇다면 질병에 걸린 뒤에 치료비 등을 지원하는 게 아니라 미리 건강을 지킬 수 있도록 지원해보면 어떨까.

시민건강놀이터

어른들의 '건강놀이터'

우리 대구는 메디시티답게 질병 치료를 위한 의료 인프라가 잘 갖춰져 있습니다. 이 인프라를 토대로 질병 예방을 위한 공공보건 시설을 확충하면 어떨까. 시민들이 평소 내 몸에 관심을 갖고 건강을 지킬 수 있는 시설을 만들기로 했습니다. 바로 시민들의 '건강놀이터'. 건강콜센터, 운동·영양상담실, 건강조리실습실, 상설교육장 등 다양한 시설을 한데 모아, 중장년층들이 미리 자신들의 건강을 건강할 때 지킬 수 있는 장을 마련했습니다. 시민들이 '건강놀이터'를 통해 평소 자신의 몸 상태를 점검하고 건강에서 취약한 부분을 미리 알고 대비할 수 있도록 하는 것이 목적입니다. 시에서 위탁한 전문 의료기관에서 중노년층의 건강 관리를 지도하고 스스로 건강을 지킬 수 있도록 체계적으로 돕고 있습니다.

밀착형 노인 돌봄서비스

2016년 대구 전체 인구의 12.9%, 34만 3,519명을 돌파한 노년층 비율은 2018년 14%를 훌쩍 넘겼습니다. 지금 추세라면 머지않아 초고령화 시대에 진입하게 됩니다. 급속한 인구고령화와 독거노인의 증가로 '돌봄 사각지대'가 발생하기 쉬운 만큼 돌봄여건을 분석하고 잠재된 노인 돌봄 수요를 파악하고 나서야 했습니다.

우리는 노인실태를 조사하고 돌봄 정책에 대한 체계적인 연구를 통해 노인의 돌봄 여건을 분석했습니다. 이를 바탕으로 2018년 7월에는 우리지역 맞춤형 노인돌봄정책을 수립할 예정입니다. 재가노인지원센터 48개소와 기억학교 14개소를 운영하고 혹한기와 혹서기에 필요한 용품과 급식을 지원하는 등 '밀착형 노인돌봄서비스'를 고민하고 있습니다. 또 사물인터넷 기술을 활용한 독거노인 고독사 예방사업도 추진 중입니다. 사람이 방문하지 않아도 상수도와 전기를 검침할 수 있는 원격검침기를 활용해서 독거노인들의 활동상황을 날마다 체크할 수 있도록 할 것입니다.

독거노인, 이제 혼자가 아닙니다

가족과 사회에서 단절돼 의지할 곳 없는 노인들이 점점 늘어나고 있습니다. 혼자 외롭게 살아가는 이들의 마음을 어떻게 어루만져야 할까요. 이야기 나눌 사람 하나 없는 이들에게 필요한 건 누군가의 '관심'이 아닐까. 단발적인 지원보다는 꾸준한 관심이 필요할 거라고 생각했습니다. 우리는 독거어르신과 자원봉사자를 일대일로 결연해 주는 '독거노인 마음 잇기 사업'을 실천해오고 있습니다.

정례적으로 안부 전화를 하고 방문상담을 하는 등 어르신들과 지속적으로 교류하고 있는데요. 절대 쉽지만은 않았습니다. 시행 초기, 대부분 자원봉사자들은 어르신에게 전화를 걸어 무슨 말을 해야 할

지도 모르겠고 사생활에 간섭하는 기분이 든다며 힘들어했습니다. 자원봉사자들이 머리를 맞대고 찾은 돌파구는 '직접 만나는 것'이었습니다. 얼굴을 보고 서로 알아가는 시간을 가져보는 것. 직접 만나 이야기를 나눈 뒤에는 조금 더 전화 걸기가 수월해졌다고 했습니다. 이후에도 어르신들 특성에 따라 한 달에 한 번 이상은 직접 만나 함께 나들이하거나 옥상 텃밭을 가꾸는 등 다양한 활동을 하면서 마음을 나눠왔습니다. 이제는 형식적인 안부 확인이 아니라 며칠 연락을 못 하면 소식이 궁금해지고 집에서 반찬을 만들 때도 생각이 날 만큼 정을 나누는 사이가 되었다고 합니다.

'마음 잇기 사업'의 성과에 힘입어, 이제 노인들끼리 서로 보듬는 방법 또한 고민 중입니다. 건강한 어르신이 질환을 앓는 어르신에게, 조금 더 젊은 노인이 나이 든 노인에게 도움을 줄 수 있는 새로운 '노노老老케어사업'의 모델을 만들고 있습니다.

달구벌복지기동대

고정적 빈곤계층은 아니지만 가장의 갑작스러운 사고나 일시적인 실직과 같은 다양한 이유로 새로운 빈곤계층이 나타나기 마련입니다. 이들이 복지 사각지대에 놓이지 않도록 지속적인 맞춤형 서비스를 제공하기 위해 '달구벌복지기동대'를 구성했습니다.

8개 구군마다 팀을 구성해서 저소득 취약계층의 생활 전반을 살피고 불편사항을 해결하고 있습니다. 월세 10만 원의 낡은 집에서 생활하는 한 독거노인은 매년 겨울 창문으로 들어오는 찬바람에 밤 잠을 이루지 못했습니다. 달구벌복지기동대에서 부서진 창호를 교체하고 고장 난 보일러를 고쳐주어 보다 따뜻한 겨울을 날 수 있게 됐다고 합니다. 가스안전공사, 전기안전공사, 보일러협회, 대구의료

원, 치과의사회 등 뜻있는 기관들이 협업을 통해서 복지사각지대 돌
봄에 나선 것입니다. 복지 '기동대'라는 이름에 걸맞게 범죄피해자
등 긴급한 상황에 대해서도 지원해드리고 있습니다. 특히 전남편으
로부터 구타를 당해 상해를 입어 퇴사를 하고 합의가 이루어지지 않
아 경제적 어려움을 겪고 계셨던 여성분께 긴급생계비를 지원하기
도 하였습니다.

3

보훈이 있어야 애국도 있다

"역사를 잊은 민족에게 미래는 없다."고 했습니다. 우리 역사 속 과오가 있다면 뼛속 깊이 새기고 교훈 삼아 똑같은 과오를 저지르지 않도록 해야 할 것입니다. 동시에 나라가 어려울 때 나라와 국민을 위해 헌신하고 희생한 국가유공자의 정신을 기리고 그분들과 유족들에게 마땅한 예우를 갖추는 것도 중요한 일입니다. '튼튼한 호국은 든든한 보훈에서 나온다'는 것이 저의 믿음입니다. 호국의 도시 대구에서부터 앞장서기로 했습니다.

먼저 6·25전쟁과 월남전 참전유공자를 예우하고 지원하는 조례를 개정했습니다. 참전명예수당을 기존 5만 원에서 8만 원으로 인상하고 전상군경 및 무공수훈자 중에 참전명예수당을 지급 받지 못하던 사람들까지 지급 대상을 확대했습니다. 국가보훈대상자를 예우하고 지원하는 조례도 개정했습니다. 「국가유공자 예우 및 지원에 관한 법률」 제4조 제1항 제4호 및 제7호에 해당하는 사람들 대상으

제2회 달구벌 보훈문화제

로 '보훈예우수당'을 신설하고 매월 5만 원을 지원하도록 했습니다. 또한 독립유공자와 유족들에게 지원하던 의료비도 연간 50만 원에서 100만 원까지 늘리고 생존 애국지사들의 자활지원금도 5~20만 원에서 100만 원으로 확대하는 등 예우를 강화했습니다.

그분들이 나라를 위해 흘리셨던 피와 땀의 수고에 비하면 아직도 부족하기 짝이 없습니다. 앞으로 더 노력할 것입니다. 우리 공동체가 당신들의 희생과 헌신을 잊지 않고 있다는 마음만은 헤아려주셨으면 합니다.

4

함께 넘어가는 장애

장애인 전담부서 신설

흔히들 떠올리는 장애인 복지는 밥을 먹고 용변을 보는 등의 '활동'을 돕는 일입니다. 몸이 불편한 장애인에게 꼭 필요한 지원인 것은 맞지만 이처럼 기본적인 생존 문제만이 장애인 복지의 영역일까? 장애인 복지의 기준은 장애인 "한 사람 한 사람의 행복"이어야 한다는 어느 장애복지기관장의 말은 저에게 큰 울림을 주었습니다.

최대한 장애인의 눈높이에서 장애인들이 필요한 것을 고민하고 지원하기 위해 2014년 전담부서인 장애인복지과를 신설했습니다. 장애인 업무 전담 공무원도 7명에서 19명으로, 장애인 저상버스는 201대에서 2.5배 많은 518대로, 콜택시는 122대에서 338대로 늘었습니다. 전에 없었던 발달장애아가족의 양육지원을 시작하고 장애인권익옹호기관도 처음으로 설치했습니다. 장애인 복지시설은 28곳이 늘었고 유리천장과 같은 장애인 일자리도 점점 늘어가고 있

제19회 대구지적장애인복지대회

습니다.

시설복지와 탈시설 자립화의 조화

장애인 복지와 관련하여 시설복지냐 탈 시설 복지냐의 논쟁이 있습니다. 옳고 그름의 문제나 선악의 문제가 되어서는 안 됩니다. 오직 장애인 당사자가 처한 상황에 따라, 그리고 우리 공동체의 준비와 능력에 따라 결정되어야 할 문제입니다.

장애인 실태 및 욕구조사 결과, 장애인 생활시설에 거주하는 성인 장애인들 과반수 이상이 탈시설·자립생활을 희망하는 것으로 나타났습니다. 우리는 2015년 10월에 전국 지자체 중 두 번째로 '장애인 탈시설 자립지원 추진계획'을 수립했습니다. 전국 지자체 중 최초로 장애인복지과에 '탈시설자립지원팀'을 신설해 탈시설자립화를 돕고 있습니다.

우리가 장애인들을 지원하는 궁극적인 목적은 장애인들이 우리 사회의 구성원으로서 함께 살아갈 수 있도록 하기 위해서일 것입니다. 그러기 위해서는 장애인 스스로 할 수 있는 일을 찾고, 사회에 적응할 수 있도록 단계를 밟아야 합니다. 장애인 스스로의 준비도 우리 공동체의 지원 능력도 갖추지 않은 채 하루아침에 시설을 벗어나 홀로 살아가게 할 수는 없습니다. 사회에 적응할 수 있는 기간이 필요합니다. 2017년까지 체험 홈 16개소와 자립생활가정 18개소 등 총 34개소를 마련했습니다. 장애인들은 시설이 아닌 이곳에서 자신이 스스로 할 수 있는 일을 하나 둘 찾아가는 연습을 하고 자립해나갈 것입니다.

발달장애인 지원센터와 교육센터

장애인지원 정책 중에서도 정부나 공동체가 우선해서 지원해주어야 할 대상은 발달장애입니다. 개인과 가정의 힘만으로는 발달장애인을 돌보고 지원하는 데 한계가 분명합니다. 대구에서 제대로 해보기로 했습니다. 전국 최초로 '대구발달장애인지원센터'를 설치 운영하고 있습니다. 발달장애인을 지원하고 장애인 지원시스템을 구축하기 위한 기관입니다. 발달장애인 개인별 지원 계획을 수립하고 발달장애인을 위한 복지지원 정보를 제공하고 연계해주는 등 장애인 복지를 위해 노력하는 것은 기본이고 발달장애인의 거주 위치를 파악하고 발달장애인 대상 서비스 기관이나 공공후견인 등의 정보를 총망라해 긴밀한 네트워크를 구축하고 발달장애인 가족들과 관련 서비스 종사자를 교육하고 상담하는 등의 역할을 하고 있습니다.

발달장애인 평생교육센터도 운영하고 있습니다. 만 18세 이상 학령기 이후의 발달장애인에게 교육 기회를 제공하기 위한 다양한 커

전국 최초 대구발달장애인지원센터 개소식

리큘럼이 준비돼 있습니다. 미술치료, 음악치료, 방송댄스 등 3개월 과정의 단과반부터 6개월 과정으로 주 5일 운영하는 정규반까지. 정규반에서는 인문교양교육, 기초문해교육, 직업능력향상교육, 문화예술교육 등을 배우며 일상생활에서 자립하고 직업 역량을 키우고 있습니다. 또한 '장애인권익옹호기관'을 설치 운영해 장애인 학대를 예방하고 피해 장애인과 가족에 대한 상담 및 사후관리하는 일도 시에서 적극적으로 지원해나가고 있습니다.

5

훈훈한 행복 온도계

시티즌 오블리주!

'높은 사회적 신분에 상응하는 도덕적 의무'를 뜻하는 '노블리스 오블리주'가 있는 것들을 나누는 것이라면 '시티즌 오블리주'는 특정인의 전유물이 아니라 누구나 자기의 처지에 맞게 실천하는 사회적 활동이라고 했습니다.[10] 가진 것이 많아서가 아니라, 사회공동체의 구성원으로서 더불어 행복하게 살기 위해 시민들 스스로 나누고 책임감을 갖는 것을 뜻합니다. 그렇습니다. 우리 공동체의 주인은 시장이나 공무원이 아닙니다. 지위가 높거나 재산이 많은 사람들만의 공동체가 아닙니다. 우리 시민 모두가 주인입니다. 주인이기 때문에 우리는 우리 공동체로서 더 좋은 공동체를 만들기 위해 참여하고 나누고 봉사하는 것입니다. 또 사람은 혼자 살아갈 수 없습니다. 나 혼자 행복한 삶이 과연 행복일까. 내 가족이, 이웃이, 우리 지역이, 또 나라가 행복할 때 비로소 행복해 질 수 있는 것입니다.

가슴이 뜨거운 많은 대구 시민들이 함께 행복한 세상을 위해 따뜻한 손길을 내밀어 왔습니다. 대구사회복지공동모금회의 모금액은 2014년 123억 원에서 점차 늘어 2016년에는 159억 원이 모였습니다. 모금 목표액 132억 원보다 120.4% 초과 달성한 수치입니다. 2017년에도 대구의 사랑의 온도탑은 전국에서 가장 뜨거웠습니다. 자원봉사에 참여하는 시민들도 해를 거듭할수록 많아지고 있습니다. 2013년에 12만 8,000명이던 자원봉사 참여자가 2016년에는 26만 8,000명으로 두 배이상 늘었습니다. 우리 대구는 시티즌 오블리주(시민적책무성)가 강한 도시로 거듭나고 있습니다.

개인의 통 큰 기부

2010년 전국에서 처음 시행된 '개인고액모금사업'은 우리 대구에 한 명의 회원으로 시작했습니다. 2018년 1월 말 현재 총 114명

이 '아너소사이어티' 회원으로 가입했고 2017년 신규 가입 회원은 전국에서 경기와 서울 다음으로 많습니다. 기부에 대한 만족도가 높아 본인이 느낀 나눔의 즐거움을 지인들에게 전파해 가입한 회원도 30%나 됩니다.

3대 가족 9명이 익명으로 가입하면서 전국에서 가장 많은 가족이 가입한 기록을 썼습니다. 식당을 운영하며 매달 170만 원씩 5년간 기부하기로 약정한 시민도 있습니다. 부부가 10억 원을 기부하면서 5년간 50억 원을 추가로 기부할 것을 약속한 시민까지. 많은 대구 시민들은 통 크게 자신이 가진 것을 나누고 있습니다. 기부란 반드시 가진 것이 많다고 하는 것이 아닙니다. 나누고자 하는 마음이 부자인 사람이 하는 것입니다. 우리는 그 마음을 존중하고 칭찬하는 문화를 만들어가야 합니다. 대구는 이분들의 소중한 마음을 기리기 위해 지하철 역사에 명예의 전당을 만들었습니다.

착한 대구, 착! 착! 착! 착!

시티즌 오블리주가 강한 도시가 좋은 도시입니다. 개인의 고액기부도 소중하지만 다수 시민의 기부문화가 도시문화로 자리 잡는 것은 더욱 소중할 것입니다.

2018년부터 본격적으로 시작한 '착한 대구 캠페인, 착! 착! 착! 착!'. 개인의 소액 정기 기부를 활성화시키고 유네스코 세계기록유산에 등재된 세계적 기부운동인 국채보상운동의 고장 대구를 '나눔문화 1번지'로 만들기 위한 범시민 나눔 캠페인입니다.

'착한 시민' 캠페인은 어린이부터 주부까지 대구시민 누구나 참여하는 프로그램으로 월 3,000원부터 정기기부 약정이 가능합니다. 가정이 함께 정기기부하는 '착한 가정', 자영업 종사자들을 대상으로 한 '착한 가게' 직장 직원들이 함께하는 '착한 일터'까지. 이 운동이 시작하자마자 8,700여 명의 착한 시민과 1,320개의 착한 가게와 104곳의 착한 일터, 그리고 착한 가정 36가정이 등록됐습니다. 시의회 의원들과 공무원들도 단체가입을 하며 서로의 선행을 독려해오고 있습니다. 머지않아 대구시민 모두가 나눔의 대열에 함께하는 그날을 기대합니다.

스스로 봉사하는 시민들

자랑스러운 자원봉사 도시 대구. 대구시민의 DNA 속에는 나누고 봉사하는 특별한 인자가 들어 있습니다. 2016년 말 서문시장 화재 시 소방공무원 다음으로 달려온 사람들도 자원봉사자였습니다. 포항지진현장, 청주와 울산의 수해현장 등 대구의 자원봉사자들은 전국을 누비고 있습니다.

'대프리카'라고 불릴 만큼 뜨거운 폭염에 시달리던 여름. 두류공원 등 16개소로 달려간 자원봉사자들은 1만여 병의 수돗물을 배부했습니다. 이는 모범적인 폭염 대책으로 정착한 좋은 사례입니다.

우리 시민들의 자원봉사는 전국적으로 인정받고 있습니다. 대구광역시 자원봉사센터를 중심으로 가장 체계적인 자원봉사 시스템을 갖추고 최근 3년간 자원봉사 참여 시민이 두 배 이상 증가했으며 전국 지자체합동평가에서 자원봉사분야 2년 연속 최우수상을 받았습니다.

그 어느 곳보다도 적극적인 우리 자원봉사자들의 역할을 강화하면 어떨까. 재난재해가 왔을 때 52개 기관과 단체에 SOS 시스템을 구축하고 시민들의 자발적인 참여를 받아 더 신속하게 재해복구를 지원하는 방법을 고민하고 있습니다.

9장

도시 안전에
편리함을 더하다

1

돌다리도 두드려라

안전사고 두 번은 없다

개개인 행복, 그 필수조건은 외부의 위협으로부터 신체 안위와 생명을 지켜내는 '안전'일 것입니다. 국가나 정부의 첫 번째 존재 이유는 국민의 생명과 재산과 안전을 지키는 데 있습니다. 위기를 미리 예측하고 어떤 상황에도 적절히 대응할 수 있는 사회적 안전관리 시스템을 마련해 사회 구성원들의 행복한 삶을 책임질 수 있어야 합니다.

그러나 안타깝게도 우리는 불행한 사건 사고들 앞에 속수무책으로 무너져야 했습니다. 세월호나 제천과 밀양의 화재 참사와 같은 대형 인재는 안전관리시스템이 제대로 있었다면, 돌발 사고에 대처하는 대응 시스템이 작동하고 있었더라면 피해를 줄일 수 있지 않았을까. 게다가 우리 대구의 씻을 수 없는 아픔인 중앙로역 지하철 화재 참사를 겪고도 서문시장 화재가 일어났습니다. 가슴 아픈 대형안전사고를 겪으면서 '안전'에 대한 불안과 요구는 점점 커졌습니다.

대구안전문화포럼 창립총회

자연재해 역시 마찬가지. 재난은 언제 어떤 순간에 닥쳐올지 그 누구도 모르기에 대비가 중요합니다. 매년 가을이면 으레 태풍이 몰려옵니다. 해마다 태풍 피해를 겪는 지역이 속출합니다. 대구의 경우, 2012년도 산바 외에 큰 피해는 없었지만 그렇다고 대책을 세우지 않는다면 나중에 재난이 닥쳤을 때 피해가 더 커질 것입니다. 경주와 포항에서 일어난 이례적인 강진도 마찬가지. 또 다른 지진 피해를 막기 위해 미리 대비해야 합니다.

사건 사고가 터졌을 때만 전국이 떠들썩할 뿐 이후 예방을 위한 대책은 부족했습니다. 때문에 유사 사고가 발생할 때면 같은 이유로 수많은 국민이 피해를 겪어왔습니다. 지금이라도 이 악순환을 끊어내야 합니다. 우리가 겪었던 각종 안전사고와 재난의 원인을 분석하고 대비하지 않는다면, 언제라도 또다시 참담한 사고가 되풀이될 수 있기 때문입니다. 그 노력의 하나로 2015년부터 범정부적인 '국가안전대진단' 추진계획을 수립해 실시하고 있습니다. 같은 아픔을 되풀이하지 않겠다는 굳은 다짐. 그것은 우리가 '안전한 도시'를 만들어가기 위해 결코 잊지 말아야 할 자세이기도 할 것입니다.

대구지하철참사 현장인 중앙로역

대구지하철참사 공식사과로 치유의 손길을 내밀다

2003년 2월 18일은 결코 잊을 수 없는, 아니 잊어서는 안 되는 날입니다. 192명의 사망자와 151명의 부상자가 발생한 대구지하철참사. 고통스러운 기억을 아프지만 기억하고 그 넋을 위로하는 건 살아 있는 우리들의 몫일 것입니다. 특히 시민의 안전을 책임져야 할 시에서 앞장서서 그 상처를 치유하고 회복할 수 있도록 도와야 했습니다. 하지만 제가 취임했을 때까지도 10년 넘는 세월이 지나도록 그 상처가 아물기는커녕 곪을 대로 곪아 있었습니다. 피해당사자와 대구시 사이에, 부상자들과 유족 간에 긴 세월 갈등의 골만 깊어진 상황이었습니다.

과거의 아픔을 치유하지 않고는 결코 미래로 나아갈 수 없습니다. 그 출발은 철저한 반성에서부터 시작해야 합니다. 저는 지하철 참사에 시장자격으로 나가서 사과부터 했습니다. 비록 제 임기 중에 발생한 사고가 아니더라도 응당 제가 해야 할 일이라고 생각했습니다.

지도자는 자기가 한 일에 대한 책임은 물론이요, 역사와 조직 앞에 책임져야 한다고 생각했습니다. 늦었지만 이제라도 그들의 아픔에 귀 기울이고 보듬을 사람이 필요했습니다. 당연히 그 역할은 시장이 된 제 몫이었습니다. 오랜 대화를 나누면서 쌓였던 불신과 갈등의 골을 조금씩 털기 시작했습니다. 2016년 비로소 2.18 안전문화재단을 설립했습니다. 사고 14년 만의 일이었습니다.

도시철도 전 역사에 스크린도어를

도시 전체가 큰 충격에 빠진 대형 참사를 겪었지만 지하철 안전에 대한 대비는 철저하지 못했습니다. 취임 당시 가장 걱정스러웠던 것은 '스크린도어'가 없는 지하철 역사였습니다. 평상시 인명사고를 예방하고 유사시 대형참사를 막을 수 있는 꼭 필요한 장치였지만 대구 도시철도의 스크린도어 설치율은 전국 최저 수준이었습니다. 서울·대전 100%, 인천 97%, 부산 70% 광주 55%에 비해 우리 대구는 17%에 불과한 수준이었습니다. 하루빨리 해결해야겠다고 생각했습니다.

문제는 예산이었습니다. 우리 시 재정으로는 전 역사에 스크린도어를 설치하기는 쉽지 않은 일이었습니다. 도시철도 전 역사 스크린도어를 추진하기 위해 '국비확보 TF팀'을 운영했습니다. 지역 정치인들과 수시로 간담회를 하고 국비지원을 지속적으로 건의하도록 했습니다. 저 또한 기획재정부와 국토교통부를 방문해 스크린도어 설치의 당위성을 적극적으로 강조하고 설득했습니다. 대통령 면담까지 할 수 있는 최선을 다 했습니다. 그리고 2015년 기획재정부 최종심사결과 스크린도어 설치를 위한 국비지원이 확정됐습니다. 735억 원. 전국 스크린도어 국비 예산 중 가장 많은 액수를 지원받은 것

도시철도 3호선 개통식

입니다.

안심하고 탈 수 있는 무인 모노레일 도시철도 3호선

2015년 개통된 우리나라 최초의 모노레일인 대구 도시철도 3호선은 지상 10미터 높이를 달리면서 대구의 아름다움을 한눈에 볼수 있는 '달리는 전망대' 역할을 하는 또 다른 랜드마크로 자리하고 있습니다.

그러나 이 모노레일이 개통되기 전까지는 수많은 곡절을 겪었습니다. 가장 큰 걱정은 화재나 돌발사고로 안전에 대한 걱정이었습니다. 제가 처음 출마한 지방선거에서도 가장 큰 쟁점이었습니다. 솔직히 당시에는 내가 시장이 되더라도 이것을 철거해야 하는 것 아닌가하는 우려를 할 정도였습니다. 시장에 취임한 후 곧장 3호선으로 달려가 안전문제를 직접 확인하기로 했습니다. 라이터를 켜서 차량 시트에 불을 붙여 보았습니다. 함께 탔던 도시철도건설본부장과 기자들이 깜짝 놀라 했습니다. 그러나 이렇게 하지 않고서는 나의 확신도

시민들을 설득할 방법도 없었습니다. 다행히 차량 내부는 불연재로 마감되어 있었고 화재에도 안전한 것으로 확인할 수 있었습니다. 소방본부장 등 관련 공무원들과 한자리에서 사고 등 비상시의 문제점과 대처방법도 면밀히 점검했습니다. 결론은 안전에 문제가 없고 비상시에도 대응할 수 있는 시스템을 갖추고 있다는 것이었습니다.

이제 시민들에게 믿음을 주는 것이 관건이었습니다. 그러자면 개통 전에 많은 시민들이 직접 타서 안전을 확인하도록 하는 방법이 최선이었습니다. 개통을 4개월여 늦추고 많은 시민들에게 시승의 기회를 드렸습니다. 가장 반대하고 비판하시던 분들을 모셔서 확인하도록 했습니다. 경험보다 좋은 스승은 없다고 했습니다. 시간이 갈수록 시민들의 불안은 해결되었고 급기야 왜 하루빨리 개통하지 않느냐는 비판의 목소리도 나왔습니다. 그래도 또 확인하고 또 점검했습니다. 전국 어디에도 없는 무인운전 체제이다 보니 기술 시운전을 반복하고 철저하게 안전을 점검했습니다.

테스트 결과 기술과 안전에 전혀 이상이 없었지만 혹시 모를 상황에 대비해야 했습니다. 지상 10미터 높이 하늘 위로 달리는데 무인운전체제로 아무도 없다면 시민들이 불안해할지도 모릅니다. 혹시 모를 비상사태가 생길 수 있으니 안전요원을 배치하면 어떨까. 운영적자를 감수하더라도 전 운행열차에 안전요원을 한 명씩 탑승시키도록 조치했습니다. 만에 하나 열차가 비상정차하거나 운행 장애가 발생했을 때 신속히 조치하고 승객안전을 확보하도록 한 것입니다. 안전요원은 차량검수와 운전업무가 동시에 가능하도록 '기관사 자격'을 소지한 사람으로 배치했습니다. 드디어 2015년 4월 23일 도시철도 3호선은 정상운행을 할 수 있게 되었고 지금은 시민의 사랑을 한몸에 받고 있습니다.

메르스 괴담을 잠재우다

공포의 메르스 환자 발생

2016년 5월 우리나라 최초로 메르스 환자가 발생하면서 전국은 공포에 휩싸였습니다. 치사율이 높고 예방 치료수단이 거의 없는 고위험 감염병. 하지만 어떻게 전염되는지, 또 어느 지역에 확진 환자가 있는지 공개가 늦어 혼란이 가중됐습니다. 병에 대한 정확한 정보제공이 부족하다 보니 이른바 '메르스 괴담'까지 떠돌며 국민들은 불안에 떨어야 했습니다.

5월 20일 우리나라 최초 메르스 환자가 발생했습니다. 우리는 메르스가 발생하지 않은 지역 최초로 이틀 만에 대책본부를 운영했습니다. 환자들이 전국적으로 퍼져 나감에 따라 6월 10일부터는 지역 대학 감염 및 예방의학 전문가와 매일 자문단 회의를 운영해 위기 상황에 대비했습니다. 특히 대구시에 확진 환자가 있다는 것을 확인한 6월 16일부터는 시장을 중심으로 '대구광역시 메르스 종합대책

메르스 대응 긴급 확대간부회의

본부'를 꾸려 24시간 상황실을 가동했습니다.

　처음 나타난 대구 확진 환자는 5월 말 삼성서울병원에 다녀갔지만 접촉 의심환자 통보가 오지 않았고 잠복기간인 16일 동안 일상생활을 해왔습니다. 그러다 보니 시민들의 불안이 가중됐습니다. 게다가 확진 환자가 공무원인지라 시장으로서도 참 곤혹스러웠습니다. 발견이 늦은 만큼 밤을 새워서라도 환자와 접촉했던 사람들의 리스트와 동선을 파악해야 했습니다.

투명하게 메르스 환자 동선 공개

　우리는 24시간 비상체계에 돌입했습니다. 1차 조사는 제가 직접 병실 밖에서 화상전화를 통해 환자로부터 진술을 받았습니다. '당신의 얘기가 무척 중요하다.'며 '있는 그대로 솔직하게 알려달라'고 설득해 1차 진술을 받았습니다. 이후 의료진이 총 4번에 걸쳐 추가 진술을 받았습니다. 이를 토대로 접촉한 사람과 장소를 역으로 확인하고 환자가족들과 함께 근무하는 직원들의 추가 진술을 받으면

대구의료원에 마련된 메르스 응급환자 분류소

서 환자의 동선과 접촉자를 파악했습니다. 혹시 빠진 상황이 있을
수 있으니 환자의 신용카드전표 기록 확인과 휴대폰 위치추적조사,
CCTV 분석까지. 다각도로 추적한 결과 거의 24시간 만에 환자의
동선과 접촉대상자들을 확인할 수 있었습니다.

환자의 이동경로를 시민들에게 공개할 것인가를 결정하는 것은
어려운 문제였습니다. 중앙정부의 방침이 없는 것이나 마찬가지였
습니다. 남구청에서 있었던 대책회의에서도 이동경로와 동선을 실
명으로 공개할 경우 나타날 혼란을 우려하는 목소리가 높았습니다.
그러나 우리는 시장인 저의 책임하에 과감하게 모든 것을 공개하기
로 했습니다. 환자 발생 초기에 시장 담화문 발표로 상황을 설명했
습니다. 그리고 환자의 동선을 파악한 뒤 삼성서울병원을 다녀와서
12일간 들른 식당, 노래방, 경로당 등 모두를 실명 공개했습니다. 상
호가 공개된 상점들이 상당 부분 영업 손실이 생긴 것은 불가피했습
니다. 하지만 정보 공개 이후 걷잡을 수 없이 떠돌던 악성 유언비어
도 시민들의 불안과 동요도 상당히 잠재워졌습니다. '있는 그대로'
알린 '정직한 행정'이 시민들의 신뢰를 얻었습니다. 시민들은 시를

믿어주었고 우리도 체계적으로 사후대책을 마련할 수 있었습니다.

'전염병 자문단'과 비상대책

　메르스 사태가 진정될 때까지 퇴근이란 없었습니다. 야전침대를 가져다 놓고 쪽잠을 자면서 밤새 정보를 수집하고 전문가들과 대책을 논의했습니다. 메디시티 대구의 힘은 놀라웠습니다. 사실 저나 행정공무원들은 책임은 있지만 메르스에 대한 정확한 정보는 없습니다. 순간순간 상황을 결정하고 판단하는 데 무척 도움이 된 것이 '전염병 자문단'입니다. 각 병원의 감염내과 전문의 중심으로 함께 회의하며 많은 도움을 받았습니다. 이런 체계들을 미리 갖춰놔야 한다는 것을 다시 한 번 느꼈습니다.

　의료기관 현장 점검으로 시민들의 불안을 해소시키기 위해 노력했습니다. 메르스의 추가 유입을 차단하기 위해 노력하고 메르스 피해 구제와 지역경제 활성화에 주력했습니다.

　매일 아침 8시 30분에 보건복지국장 주재하에 대구시, 구군 보건소장, 대구의료원, 자문단이 참여하는 '일일상황 점검 회의'를 갖고

매일 밤 시장 주재로 일일 추진상황을 확인하고 민간역학조사관 회의도 매일 2번씩 진행했습니다. 아침 10시, 오후 4시 매일 2번씩 '언론브리핑'을 통해 새로 얻은 정보를 시민들에게 모두 공개했습니다. 언론의 추측성 보도를 방지하고 시민들에게 정확한 정보를 제공하기 위함이었습니다.

메르스 백서와 체계적인 감염병 관리

메르스 이전에 사스, 신종플루라는 신종질병이 처음 유입됐을 때도 국민들은 불안에 떨었고 정부는 우왕좌왕했습니다. 언제 발생할지 모르는 외부 신종질병에 대한 사전연구와 대비체계가 없다면 같은 상황이 또다시 반복될 것입니다. 제2의 메르스 괴담이 나오지 않기 위해서라도 시 차원에서 대응할 수 있는 시스템을 갖추고 재난대응 시스템을 총체적으로 점검해야 합니다. 우선 우리는 메르스의 발

생에서부터 환자의 완치 후 퇴원까지 상황을 하나의 백서로 정리하기로 했습니다. 우리의 소중한 경험을 중앙정부나 다른 지자체와 공유하기 위해서입니다.

메르스 사태 이후 질병관리본부, 시, 각 구군 보건소를 잇는 핫라인을 구축했습니다. 기동감시·대응반을 편성해 상시 대응 체계를 갖췄습니다. 학교와 병의원, 약국, 사회복지 시설 등 질병정보 모니터링망을 확대하고 '대구형 감염병 예방 및 관리 시스템'을 구축했습니다. 동시에 경북대학교병원에 '대구광역시 감염병관리지원단'을 위탁해 감염병 발생을 감시하고 인력 및 장비를 보강하도록 했습니다.

감염병으로 공중보건에 위기상황이 발생하면 환자를 격리 입원할 '음압격리병상'이 필요합니다. 국비를 지원받아 경북대학교병원에 5병상과 대구의료원에 7병상을 확충했습니다. 감염병이 발생하면 초동 대응력을 강화할 수 있게 4개 보건소에 감염병 전담팀을 신설하고 구급차 내 감염을 막을 수 있는 특수구급차 등 의료장비

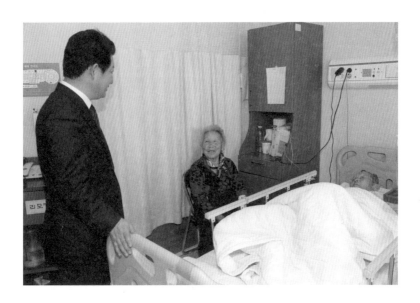

를 보강했습니다. 전문 역학조사관을 임기제 공무원으로 채용해 감염병 역학조사 역량을 강화함으로써 효율적으로 관리할 수 있게 된 것입니다.

또한 연간 4회 생물테러감염병 대응훈련과 신종감염병이 재출현한 상황을 가정한 '현장훈련'과 '토론훈련'도 병행했습니다. 질병을 초기에 발견하기 쉬운 보건소 담당자들의 교육도 연간 2회씩 진행해 대응요원들을 교육하고 있습니다.

시립의료원을 공공의료 중심으로

메르스 사태는 공공의료의 중요성을 뼈저리게 느꼈던 순간이었습니다. 앞으로 전염병 등의 문제가 생길 때 대구의료원이 공공의료원으로서 책무를 완벽하게 수행할 수 있도록 미흡한 부분을 보완하고 지원하기로 했습니다. 음압격리병상 확충을 통해 신종감염병 등 위기에 대처하고 재난 시 적극적으로 개입할 것입니다.

민간 의료기관에서 피하는 행려환자나 기초생활수급자 등 의료취약계층에 공공보건의료서비스를 제공하는 것 역시 시립의료원에서 앞장설 것입니다. 간호간병통합서비스 병동을 운영하고 미등록 이주근로자의 무료진료, 달구벌 건강주치의사업, 사각지대 의료취약계층 의료지원사업 등 공공보건의료사업에 매진하고 있습니다. 특수검진센터를 설치해 더 많은 시민들이 검진을 받게 됐고 2018년 준공 예정인 생명존중센터는 지역의 자살 시도자를 위한 의료원 내 응급실과 정신건강의학과 전용병실 연계를 강화해 '전담 의료기관'의 역할을 하게 됩니다. 앞으로도 응급실 시설을 개선하고 응급의료시스템을 강화해 공공의료기관의 역할을 보다 적극적으로 해나갈 것입니다.

3

아이들에게 안전한 꽃길을

안전한 통학로 만들기

우리 아이들의 안전은 정말이지 아무리 강조해도 지나치지 않습니다. 우리 어린이들의 안전을 지키고, 범죄로부터 보호하기 위해 어린이 활동공간에 CCTV를 설치했습니다. 놀이터와 도시공원, 어린이 보호구역 등 1,998개소에 총 2,691대가 가동되고 있습니다.

아이들 안전을 위해 교통 수칙의 중요성은 평소에도 늘 교육시켜 왔던 부분입니다. 하지만 스쿨존 이면도로에서 일어나는 어린이 보행자 교통사고는 전체 어린이 보행자 교통사고의 9%를 차지합니다. 이렇게 안전사고가 이어지는 이유는 뭘까요? 즉흥적이고 본능적인 어린이들 시각에 맞춘, 직관적인 디자인이 필요하다고 판단했습니다.

우리는 넛지이론Nudge Theory[11]을 떠올렸습니다. 암스테르담 공항에서 소변기에 파리 모양 스티커를 붙여놓는 아이디어만으로 소변

기 밖으로 나가는 소변량을 80%나 줄일 수 있었던 비결. 아이들에게 신호를 지키라고 거듭 이야기하는 것보다 건널목 앞에 예쁜 노란 발자국을 그려놓으면 저절로 멈추게 되고 디자인 측면에서도 효과적이라고 생각했습니다. 또한 선진 안전기법 셉테드CPTED12를 활용해 조명에 필름을 붙여 바닥에 '안전 귀갓길' 문자를 비추는 '고보조명'까지. 2017년 남구 효명초등학교와 달서구 감삼초등학교 통학로에 교통·범죄 안전시설물을 설치했습니다.

마음껏 놀자! 어린이 안전놀이터

2018년부터 어린이 놀이시설 2,700여 개 중 1,000개소부터 전수조사에 들어갈 예정입니다. 법정의무사항 준수 여부를 확인하고 지속적인 관리를 위해 각종 시설과 기구 현황 등 데이터를 구축하기로 했습니다. 월별 안전점검 내역, 놀이시설 보수이력, 위생소독 이력 점검 등이 이어질 예정입니다.

　또한 소규모 영세 아파트 중에 안전기준이 미달돼 이용이 금지됐거나 철거된 놀이터를 보수하고 재설치하도록 지원할 예정입니다. 재정적 부담으로 시설 설치가 힘든 소규모 영세 아파트 아이들이 안전하게 놀 수 있는 공간을 만들어줄 것입니다.

4

밝게 더 밝게 – 안심 귀갓길

길을 걷다 보면 뒤에서 발걸음 소리가 들려올 때가 있습니다. 저를 비롯한 남성들 대부분에게는 크게 신경 쓸 일이 아닙니다. 하지만 여성들은 다릅니다. "어두운 뒷골목을 지날 때마다 긴장하게 된다, 멀리서 발걸음 소리가 들리면 누가 쫓아오는 건 아닐까 등골이 오싹하곤 한다"고 이야기합니다. 실제로 어두운 골목 등에서 성폭력 등 강력범죄가 빈번히 사회적 문제로 떠오르고 있습니다. 범죄에 노출되기 쉬운 위험 환경을 바꾸는 건 차일피일 미룰 수 없는 일입니다. 우리 시민들의 불안감도 가중돼 왔습니다. 2015년 진행된 범죄 위험 인식조사 결과, 시민의 43.5%가 불안하다고 응답했으며 점점 지능화되는 범죄를 예방하는 데 경찰력만으로는 한계가 있는 것이 사실입니다.

안심귀갓길 세이프존 구축사업

우리는 범죄발생 빈도를 고려해 132개소에 셉테드 기법을 활용
한 안심귀갓길 표준안을 시공하기로 했습니다. LED 보안등과 안내
판을 설치하고, 노면에 조명을 쏴 '안심귀갓길' 문자를 노출시키는
것입니다. 2016년 범죄취약지역 20개소에 시범적으로 설치한 결과
사업시행 전보다 범죄가 48.8% 감소했습니다. 밝은 환경이 범죄를
예방할 수 있다면 더욱더 환경 개선 사업에 노력을 기울여야 할 것
입니다.

범죄 잡는 CCTV로 검거율 122% 향상

범죄 예방을 위해 CCTV도 강화했습니다. 방범용 CCTV부터 교
통, 환경, 시설관리를 위한 CCTV는 현재 2만 6,000여 대 설치되
어 있고 관제실에서 실시간 모니터링하고 감시할 수 있는 CCTV는
방범용과 초등학교 인근 등 9,500여 대입니다. 이 CCTV에는 현장
녹화뿐 아니라 '이상 음원 감지시스템'이 장착된 것이 특징입니다.

CCTV에 비명소리 등의 이상 음원이 감지되면 해당 화면이 CCTV 통합관제센터에 메인으로 뜨게 됩니다. 대구시와 수성구, 달성군에 각각 설치된 CCTV 통합관제센터에는 경찰관이 항시 상주해 화면을 감시하고 있습니다. 교대근무를 통해 24시간 대기하고 있기 때문에 만에 하나 있을 범죄 상황에 즉각 출동할 수 있게 됩니다. 센터에 상주 근무하던 경찰이 현장에 가는 동안 관제요원이 현장상황을 출동경찰에게 실시간으로 알려주어 대처하는 방식의 합동근무가 가능하게 된 것인데요. 실제로 관제신고에 따른 범인 검거율이 전년 대비 122% 향상했습니다.

도로 위를 뛰어다니는 여성을 보호조치하고 한 자리에 두 시간 여를 배회하는 70대 치매노인을 보호한 것은 물론이고 새벽 시간에 건물 공사장의 공사용 자재를 싣고 도망가던 절도범부터 청소년들의 불장난이 화재로 번질 뻔한 일까지 다양한 사고를 방지할 수 있었습니다. 또한 스마트 전등까지 일체형으로 달려 있는 CCTV와 집중순찰 구역임을 알리는 문구나 경찰 캐릭터 등을 빛으로 투사하는 로고젝터를 설치해 귀갓길 안전을 강화하고 있습니다.

5

교통사고 30% 줄이기

인구 10만 명당 교통사고 사망자 수가 OECD 회원국 중 가장 많은 나라가 바로 대한민국[13]입니다. 교통사고로 목숨을 잃거나 다쳐 고통을 겪는 사람들을 어떻게 줄일 수 있을까. 우리는 '교통사고 30% 줄이기 특별대책'을 추진했습니다. 2016년부터 사고를 점점 줄여 2018년까지 30%를 줄이는 것을 목표로 설정했습니다.

교통약자 보호구역을 지정하고 자동차 도심 통행속도를 하향조정하는 등 교통 환경을 개선했습니다. 국지성 호우에 대비하도록 신천동로 도로 시설물을 보강하고 가로등 조도를 개선해 더 안전한 거리 환경을 만들었습니다. 또한 신호위반·과속단속카메라와 불법 주정차 집중단속을 위한 CCTV를 설치해 교통질서 확립에도 힘을 기울였습니다. 이와 함께 시민들 의식전환에도 힘썼습니다. 교통사고 줄이기 결의대회 등 선진화된 교통문화가 자리 잡을 수 있도록 홍보활동을 스스로 펼치도록 했습니다.

하면 된다. 2017년 교통사고는 2014년보다 10.8%가 줄었고 교통
사고 사망자 수는 25%가량 줄었습니다. 다른 시도에서도 우리의 '교
통사고 줄이기 프로젝트'를 모범사례로 선정했습니다. 시민들의 교
통문화지수는 2015년 전국 6위에서 2016년 3위, 2017년에는 2위
로 올랐고 2016년 지속가능 교통도시 평가 경진대회 최우수 정책상
을 받았고 교통안전 시행계획 추진실적에서도 최우수 평가를 받았습
니다.

6

친절한 택시, 안전한 택시

귀갓길, 이제 걱정 마세요

평소에 택시를 잘 이용하지 않는 사람들도 버스나 지하철이 다니지 않는 늦은 밤에는 택시를 탑니다. 그만큼 택시는 야간 이용자가 많을 텐데요. 택시를 이용한 범죄가 종종 일어나는 만큼 우리 시민들이 안심하고 귀가할 방법을 고민해왔습니다.

대구의 택시에는 2013년부터 안심귀가서비스 근거리무선통신 **NFC** 스티커가 부착돼 있습니다. 하지만 사용법이 어렵다 보니 이용 실적이 저조한 편입니다. 시민들이 보다 쉽게 사용할 수 있는 편리한 택시 안심귀가서비스가 필요했습니다.

2017년부터 '택시안심귀가서비스' 통합 앱을 구축하고 시행에 들어갔습니다. 대구에 있는 7개 콜택시 업체에 택시를 호출할 수도 있고 귀가할 때 '안심알림', '안심귀가설정' 등으로 차량 정보를 전송받을 수 있는 앱입니다. 귀가가 늦은 학생과 여성들은 안심하고 귀가

2017년 친절택시 기사 선정 인증식

할 수 있고 또 택시 업체에서는 호출을 받을 수 있어 수익이 증대됩니다. 시민들과 업체 모두를 위한 원-윈 정책이 된 것입니다.

'어서오이소~' 달구벌 친절택시

버스와 도시철도가 다니지 않는 곳까지 더 편리하게 이용할 수 있는 고마운 대중교통 택시. 타지역이나 외국에서 온 관광객들에게는 어쩌면 처음 '대구'를 만나는 얼굴이 될지도 모릅니다. 지역 곳곳을 잘 아는 택시기사들에게 관광정보나 맛집 등을 묻는 사람들도 많습니다. 하지만 모니터 결과를 보면 '불친절하다'는 의견이 태반. 무뚝뚝한 경상도 스타일이라 그런 걸까? 대구의 얼굴이 될 수도 있는 택시이기에 서비스를 높일 방법을 고민했습니다.

우리는 '달구벌 친절택시' 운수종사자를 선발하기로 했습니다. 2016년 100명을 선발한 데 이어 2017년 200명으로 확대한 것. 시

민과 조사원의 평가는 물론 조합과 기사들에게도 추천을 받았습니다. 친절도, 쾌적성, 안전운행 여부가 평가의 척도인데요. 선정된 택시에는 '친절택시 인증스티커'를 붙이고 인센티브를 제공했습니다. 친절한 택시에 보상을 주면서 택시기사 스스로 친절해지도록 독려한 것입니다. 택시 좌석 앞에는 기본 영어, 시내 관광지도, 시티투어 버스 노선도 등의 관광 자료들이 꽂혀 있어 관광객들의 편의를 도왔습니다. 이런 노력 끝에 택시서비스 만족도도 2015년보다 3.86점 높아진 것으로 평가받았습니다.

10장

당당한 여성을
위하여

①

행복한 가정, 보람된 일터

집안일은 '돕는' 것이 아닙니다

2017년 화제가 된 책 『82년생 김지영』을 읽다 보니 이 시대를 사는 여성들이 지닌 삶의 무게가 아프게 와 닿았습니다. 맞벌이 가정에서 일과 가정을 돌보는 것은 부부 공동의 몫이지만 현실은 어떨까요. 남편들은 육아를 '도와준다'고 말합니다. 이는 여성의 일을 '도와준다'는 전제가 깔린 말입니다. 말 그대로 도울 뿐 책임의 중심에는 여성들이 있습니다.

문제는 일과 육아를 동시에 잘하는 '슈퍼맘'은 절대 쉽지 않다는 것입니다. 생활계획표 짜듯 아이들이 계획대로 자라줄까요? 출근해야 하는데 아이가 아프기라도 하면? 밤새 칭얼거리는 아이를 달래느라 밤잠 못 자고 출근하기 일쑤라면? 혼자서 두 가지를 다 해내기는 절대 쉽지 않습니다. 그러다 보니 엄마냐 여자냐, 가정이냐 일이냐 사이에서 끝없이 갈등하는 것이 현실입니다. 가정을 지켜야 할

공동 책임자이자 가장 가까운 남편들 인식부터 바꿔야 합니다.

현재 대구 남성들의 육아휴직 이용률은 4.8%에 불과합니다. 전국 평균인 12.4%에 크게 못 미치는 수치로 전국 7대 도시 중 6번째입니다. 주요 선진국의 남성육아휴직률과 비교하면 어떨까요. 스웨덴 45%, 노르웨이 40.8%, 덴마크 24.1%, 독일 24.9%[14]에 비하면 더욱 큰 격차입니다. 일과 가정을 동시에 지키는 것은 부부 모두의 몫입니다. 가정 안에서도 팽배한 성불평등을 해소할 수 있도록 인식을 바꿔야 합니다.

사실 우리 지역은 전통적인 가부장제가 익숙한 도시입니다. 따라서 인식을 개선하기 위해서 훨씬 더 많은 노력이 필요했습니다. 워킹대디, 육아맘, 청년들을 대상으로 교육하고 '아빠요리 경연대회', '가족행복캠프' 등의 행사를 개최하고 '가족친화마을'을 지정해서 운영하고 있습니다. 가장의 역할은 단지 일하는 것이 아니라 가정을 챙기는 것이기도 하다는 것을 일깨우고 가족들 돌보는 일을 가족만

의 문제가 아니라 마을 단위에서 함께 고민하도록 한 것입니다. 한 사람 한 사람의 변화가 열 사람으로 백 사람으로 거듭 늘어나기를 바랍니다.

가정과 일터는 함께여야 합니다

2017년 연말 어느 금융회사에서 '임신 혹은 출산과 동시에 퇴사하도록 강요받았다'는 소식이 전해졌습니다. 그동안 출산휴가와 육아휴직은 당연한 권리가 아닌, 미안해하고 눈치봐야 하는 분위기가 공공연하게 이어진 게 사실입니다. 하지만 가정이 바로 서지 않는다면 우리 지역 사회가 또 나라가 제대로 설 수 있을까. 특히 요즘 같은 저출산시대, 한 가족의 문제가 아니라 우리 모두 함께 고민해야 할 문제일 것입니다.

우리는 '가족친화적'인 일터를 확산해 출산과 양육에 따른 고용불안을 해결하기로 했습니다. '일가정양립지원센터'를 운영해 여성가족부가 인증한 '가족친화인증' 기업과 기관을 56곳에서 76곳으로 확대하고 사업주들의 인식을 개선할 수 있도록 노력했습니다. 가족친화인증 컨설팅은 노무사와 기업컨설턴트 등을 위촉해 3년간 255회 진행했습니다. '가족친화인증제도'와 법적제도를 설명하고 사내규정을 마련할 수 있도록 지원해준 것입니다.

'경단녀'는 이제 그만!

2017년을 기점으로 생산가능인구가 감소하고 있습니다. 일해야 하는 젊은층이 부족한 지금 아이러니하게도 일하고 싶어도 하지 못하는 사람들이 있습니다. 바로 경력단절 여성들입니다. 기혼여성 중 20%에 가까운 8만 4,244명이 일자리를 찾지만 출산과 육아로 경력이 단절돼 재취업에 난항을 겪고 있습니다.

'경단녀' 재취업 전국 1위

아이가 클수록 교육비 등 지출이 늘고 남편 한 사람 월급만으로는 부족해 일자리를 찾는 여성들이 많습니다. 문제는 경력 단절, 소위 말하는 '경단녀(경력이 단절된 여자)'로서는 할 수 있는 일이 없다는 것입니다. 그런 여성들에게 기회가 주어진다면 개인은 물론 생산가능인구가 줄어들고 있는 지역사회에도 긍정적인 효과가 오지 않을까.

우리는 '여성 새로일하기센터'를 열고 여성의 일자리를 찾고 만들고 또 늘렸습니다. 그 결과 2017년 대구의 경력단절여성 취업자는 54.8% 증가했습니다. 전국에서 가장 높은 취업증가율을 보인 것입니다.

여성 일자리를 찾고 만들고 늘리고!

광역시 최초로 찾아가는 일자리 서비스인 '굿잡Good-Job 버스'를 운행했습니다. 현장에서 직접 면접을 보고 구직 등록을 할 수 있는 시스템으로 면접을 본 352명 중 157명이 채용되는 성과를 거뒀습니다. '여성행복 일자리 박람회'도 개최했습니다. 6,000명 이상이 참여한 이 박람회 역시 구직상담부터 면접, 채용까지 이어졌습니다.

'여성새로일하기센터'에서는 임신, 출산, 육아 등으로 경력이 단절된 여성에게 취업상담과 직업교육훈련은 물론 취업 후에도 사후관리를 통해 여성의 경제활동 참여를 높였습니다. 좋은 일자리를 연계하기 위한 '고부가가치 직종 직업교육훈련' 과정은 교육내용과 연결된 중소기업이 많아 취업에 유리했다는 교육생들의 평가가 있었습니다.

2
시댁찬스도 친정찬스도 그만!

할마·할빠 없이 살아보기

여성들이 일과 가정을 동시에 챙기기 위해 반드시 따라붙는 전제가 있습니다. 이른바 '시댁찬스'와 '친정찬스'. 양가 부모님들이 육아를 도와주는 경우가 아닌 이상 맞벌이 부부 둘이서만 아이를 키우는 건 사실상 불가능하다고 말합니다. 많은 어린이집이 있고 무상보육까지 시행하는데 무슨 문제냐고 말합니다. 그러나 믿고 맡길 만한 어린이집이 부족하다는 것이 문제입니다. 그러다 보니 산후조리원에서부터 어린이집 대기 순번표를 받으라는 웃지 못할 농담도 떠도는 현실입니다.

하지만 아이들을 키우는 건 단지 가정만의 문제가 아닙니다. 장차 사회의 재원이요 우리의 미래가 되어줄 아이들을 사회에서 함께 돌봐야 할 것입니다.

국공립어린이집 이용 40% 증가

　우리는 국공립어린이집을 대거 확충했습니다. 그 결과 2017년에 2016년 대비 국공립어린이집 이용 아동 증가율에서 전국 평균이 6%인 데 비해 대구는 무려 29%의 증가율을 보이며 전국 1위를 기록했습니다. 2014년에 42개소에 불과했던 대구의 국공립어린이집은 2018년 3월에 94개소가 개원하게 됩니다. 이 여세를 몰아서 올해 연말까지는 국공립어린이집을 196개소까지 확충할 것을 목표로 하고 있습니다.

　국공립어린이집을 무조건 새로 짓는 게 아니라 확충 방식을 다양화했기에 가능한 결과였습니다. 공동주택 관리동 어린이집을 확충하고 사회복지법인이나 민간시설을 무상 임대해 국공립 어린이집으로 전환하기도 했습니다. 2017년 국공립어린이집 확충 실무 TF팀을 구성해 노력해왔고 2018년에도 더 많은 아이들과 부모들에게 혜택을 줄 수 있도록 노력할 것입니다. 보육의 공공성을 확보하는 동시에 부모들이 만족할 수 있도록 교육서비스의 질을 높이기 위해서도 더욱 노력할 것입니다.

3

꽃으로도 때리지 마라

'집안일'이 아니라 '폭력'입니다

여성 폭력 사건이 가슴 아픈 것은 가해자가 낯선 이가 아닌, 피해자와 몹시 가까운 가족관계에서 많이 일어난다는 사실입니다. 특히 가정 폭력은 '집안일'이고 사생활이라고 생각하다 보니 주변에서 섣불리 나서지 못하는 경우가 많습니다. 망설이는 건 피해자도 마찬가지입니다. 어려운 일을 겪을 때 가장 먼저 도움을 청해야 할 가족이 가해자이다 보니 도움을 청할 곳이 마땅치 않습니다. 신고하기까지도 많이 갈등합니다. '가족'이기 때문입니다.

하지만 생각해보십시오. 아무리 가족이라도 누군가를 때리고 학대하는 것이 옳은가. 이런 비상식적인 상황을 '집안일'이라고 할 수 있을까. 또 폭력에 시달리면서 '가족'이니까 참고 견뎌내야 하는가. 인식을 바꿔야 합니다. 가족의 이름으로라도 폭력은 정당화할 수 없습니다. 또한 위기 상황이 닥쳤을 때 어떤 곳에 도움을 요청해야 하

296 대구, 이미 시작된 미래

는지 평소 적극적으로 알려나가야 합니다.

우리가 피해자 구제방법과 보호시설을 홍보한 결과 가정폭력 피해접수가 2013년 591건에서 2016년에는 2,335건으로 늘었습니다. 하지만 이것이 가정폭력 전부일까? 물 위로 떠오르지 않은 피해가 얼마나 더 있을지는 가늠할 수 없지만 이제 더 이상 혼자 고통받는 여성이 없기를 바랍니다. 가정폭력 피해자의 상담과 의료 서비스는 물론 6개월 이상 숙식을 제공하며 상처받은 마음을 회복할 수 있도록 시에서 적극 나설 것입니다. 다시 원활하게 사회 복귀를 할 수 있을 때까지 그 손을 놓지 않을 것입니다.

24시간 원스톱 지원

가정 폭력을 비롯한 성폭력 등 여성폭력피해자 지원시설도 활발히 운영하고 있습니다. 현재 총 15개소에서 피해자 지원 사업을 하고 있습니다. 의료비 지원부터 치료회복 프로그램을 통해 상처를 치유할 수 있도록 돕고 있습니다. 대구 해바라기센터에서는 성폭력, 가정폭력, 성매매 피해에 노출된 아동과 성인 여성들을 상담하고, 의료와 법률서비스, 수사 착수까지 지원하고 있습니다. 365일 24시간 대기하고 원스톱으로 지원하기 위해서 3개소로 확충했습니다. 앞으로는 여성긴급전화 1366에서 디지털 성범죄 피해 역시 신고할 수 있도록 지원할 예정입니다.

잠재적인 범죄를 막는 무인택배서비스

최근 데이트 폭력을 비롯해 스마트폰 앱을 악용해 성 매수를 하는 등의 디지털 성범죄가 급증하고 있습니다. 전국적으로 2012년도

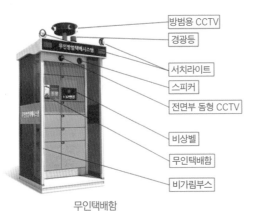

방범용 CCTV
경광등
서치라이트
스피커
전면부 돔형 CCTV
비상벨
무인택배함
비가림부스

무인택배함

에 2,400건이었던 성범죄는 2013년도에 4,800여 건으로 늘어났고 2015년에는 7,600여 건을 기록했습니다. 피해에 노출된 여성들을 위한 사회적 안전망 구축이 절실한 상황입니다.

먼저 잠재적 범죄 피해자를 막을 수 있도록 '아동여성안전지역연대' 운영을 활성화했고 여성폭력예방활동을 늘려갔습니다. 시민들의 인식개선을 위한 폭력예방 및 성인권 교육도 추진했습니다. 또한 범죄의 타깃이 되기 쉬운 혼자 사는 여성들을 위해 '무인택배서비스'도 제공했습니다. 과거 택배기사를 가장한 범죄가 일어나기도 했던 만큼, 여성들의 반응은 뜨거웠습니다. 2015년 1,200여 건을 시작으로 2년 만에 5배 이상 늘어 지난해 이용 접수가 6,500건을 돌파한 것입니다.

4

성은 돈 주고 사는 게 아닙니다

여성 문제에 성매매를 빼놓을 수 없을 것입니다. 성매매 특별법을 시행하고 집중 단속에 나서도 그때만 주춤할 뿐 법망을 교묘히 피해 가며 성매매가 이어져 왔습니다. 우리 대구에도 자갈마당으로 알려진 성매매집결지가 있습니다.

성매매 없는 도시를 꿈꾸며 성매매집결지 정비를 시작했습니다. 1908년 유곽이 설치된 뒤 성매매집결지로 자리 잡은 중구 도원동 일대가 그 대상입니다. 2016년 '도원동 도심부적격시설 주변 정비 추진 TF팀'을 꾸려 정비에 나섰습니다. 집결지 주변에 현금인출기 2대를 철거하고 CCTV를 설치했고요. 주변 보안등을 LED로 교체해 조도를 밝게 했고 외벽조명도 설치하고 있습니다. 또한 경찰의 협조로 성매매 불법행위 집중 단속을 강화했으며 앞으로도 지속적인 단속을 위해 지자체, 교육청, 경찰, 여성단체 등이 참여하는 민관합동 계도를 하도록 할 것입니다.

또한 성매매 피해여성이 성매매에서 벗어나 자립할 수 있도록 지원시설과 상담소를 운영하고 있습니다. 2017년 9명을 선정해 자활 지원을 시작했고 이후 성매매 피해자 110명 전원을 전수상담 조사해 추가로 자활 지원 대상자를 늘려갈 것입니다.

11장

청소년이
꿈꾸는 도시

1

소년이여, 꿈을 키워라!

공부만 잘하는 아이보다 꿈을 좇는 아이로

초중고 내내 입시 하나만 보고 공부했을 뿐 앞으로 어떤 일을 해야 할지, 내가 원하는 미래가 뭔지 모르겠다고 푸념하는 청년들의 이야기가 적지 않게 들려옵니다. 그동안 우리가 너무 입시 제도의 틀에 맞춰 아이들을 키워온 건 아니었을까.

과연 우리는 아이들에게 꿈과 희망을 심어주는 부모일까요? 저역시 스스로를 돌이켜보게 된 일화가 있었습니다. 2017년 어린이 기자단 272명의 발대식을 했습니다. '꿈이 무엇인지' 묻자 다양한 장래희망을 쏟아냈습니다. 게이머, 프로그램 기획자, 화가부터 UN에서 외교관으로 근무하고 싶다는 구체적인 이야기까지 나왔습니다. 하지만 곁에서 지켜보던 부모님은 대부분 금시초문이라며 놀라워했습니다. 왜 엄마 아빠에게는 네 꿈과 장래희망을 말하지 않았냐고 물어보자 아이들은 '엄마 아빠에게 이런 얘기를 하면 꾸중 듣는

다'고 했습니다.

무언가에 맞은 듯한 느낌이었습니다. 어쩌면 아이가 원하는 것을 알려고 하기보다 우리는 어른들의 잣대에 맞춰 '학교에서 말 잘 듣고 공부 잘하는 아이'로만 키우려고 했던 것은 아니었을까. 가장 중요한 건 아이들 스스로 흥미를 찾고 꿈을 키우는 것입니다. 친구들과 경쟁에서 '1등을 하겠다'는 것보다 가슴에 꿈을 품고 목표를 향해 달려가는 게 더 행복하지 않을까요.

꿈이란 사람을 살게 하는 힘입니다. 꿈이 있는 사람과 없는 사람, 목표가 있는 사람과 없는 사람은 삶의 자세부터 다릅니다. 원하는 것을 이루기 위해 열심히 살아가는 힘의 원천은 바로 꿈입니다. 어쩌면 어른들의 목표와 욕망 속으로 우리 아이들을 몰아넣고 있던 것은 아니었을까. 아이들이 스스로 꿈꿀 수 있도록, 우리 아이들이 저마다의 '꿈'을 키울 수 있도록 돕기로 했습니다.

경험을 키우는 청소년 활동

청소년들이 학교 공부 외에도 자신의 적성을 파악해볼 방법은 없을까. 우리의 미래를 책임질 청소년들의 창의력을 기르고 재능을 개

발할 수 있도록 다양한 프로그램을 마련했습니다. 다양한 문화 예술 체험 활동에 직접 참여하며 자신감을 높이고 잠재된 재능을 찾아서 키울 기회를 주기 위해서입니다.

청소년활동프로그램은 청소년의 수요가 높은 진로직업, 모험봉사, 가족인성, 문화예술 네 가지 주제를 공모해 사업자를 선정했습니다. 2017년에는 공모를 통해 25개의 프로그램을 지원했습니다. 앞으로도 청소년들의 호응이 좋은 프로그램을 지속적으로 발굴해 프로그램의 질을 향상시키고 더욱 다양한 분야의 프로그램을 접할 수 있도록 할 것입니다.

2017년부터 대구청소년지원재단에서는 대구지역 147개 동아리를 선정해서 지원하고 있습니다. 우리 청소년들이 학교 공부에만 얽매이지 않고 자신의 취미와 적성에 맞는 동아리에서 활발하게 활동할 수 있도록 지속적으로 지원할 것입니다.

청소년들이 다른 지역의 또래들과 어울려서 서로 이해하고 새로운 세상을 경험할 수 있도록 지원하는 국내외 교류활동 프로그램도 진행했습니다. 우리 시와 우호자매 도시인 고베와 히로시마, 그리고 중국의 닝보시와 글로벌 청소년 교류를 시작했습니다. 이 글로벌 교육 프로그램은 우리 청소년들이 다른 나라를 방문하고 이듬해에는

외국청소년들이 대구를 방문하는 방식으로 이루어집니다. 우리나라 안에서는 달빛동맹을 맺은 광주 청소년들과 상호교류를 이어갔습니다. 2017년 5월에는 대구의 청소년 40명이 광주를 방문했고 9월에는 광주 청소년 40명이 대구를 방문했습니다. 우리와 다른 환경의 도시를 직접 보고 느끼면서 더 넓은 시각으로 세상을 바라볼 기회가 되었을 것으로 생각합니다.

미래를 꿈꾸다

2017년 국가사업인 '국립 청소년진로직업체험수련관' 위치가 대구로 결정됐습니다. 동구 괴전동 일대 부지 16만 9,708제곱미터에 지하 1층 지상 3층의 규모로 들어설 이 수련원은 한꺼번에 236명의 숙박 인원을 수용하게 됩니다. 국가사업인 만큼 사업비 537억 원은 전액 국비를 지원받았는데요. 우리 대구시가 지난 몇 년 동안 중앙정부를 끈질기게 설득해서 얻어낸 결실입니다.

　국립 청소년진로직업체험수련관은 청소년들이 직업을 설계하고 가상 체험을 해보고 실제 현장에서 직업을 체험할 수 있는 3단계 프로그램을 운영하게 됩니다. '꿈이 없어서 미래를 설계할 수 없다'는 아이들이 많아서 교육부에서도 '자유학기제'를 도입했지만 교육 현장에서는 프로그램을 운영하는 데 큰 애로를 겪고 있습니다. 자유학기제를 뒷받침할 인프라가 부족하기 때문입니다. 대구에 설립될 진로직업체험관은 자유학기제를 제대로 운영함으로써 우리 아이들에게 꿈과 희망을 키워주는 좋은 둥지가 될 것입니다.

　이미 서울이나 경기도 지역에는 '직업체험관'이 여럿 있지만 하루 동안 직업을 체험하는 시스템이 대부분입니다. 그러나 우리가 설립할 체험관은 숙박시설이 있어 '3박 4일'간 집중적으로 체험할 수 있기에 더욱 효과가 클 것으로 기대합니다.

2

아이들의 꿈을 돕는 교육

노력이 인정받는 사회를 위하여

대한민국은 자유 민주주의와 시장경제라는 큰 기둥 아래 움직이고 있습니다. 인간의 이성과 욕구를 반영한 가장 합리적인 제도임에는 틀림없습니다. 그러나 이 제도에서 '경쟁'은 피할 수 없습니다. 경쟁이라는 것은 이기는 사람이 있으면 지는 사람이, 앞선 사람이 있으면 뒤처진 사람이 있게 마련입니다. 문제는 그 경쟁의 출발점에 모두가 같이 설 수 있느냐, 한번 실패하더라도 다시 재기할 수 있는 희망이 있느냐입니다.

지금 우리 사회는 부모의 사회적, 경제적 격차가 아이들의 교육 격차로 이어지고 그것은 또 아이들의 사회적, 경제적 격차로 대물림되고 있습니다. 부모가 얼마나 사교육을 시킬 수 있느냐가 아이의 미래를 좌우하게 되어버렸습니다. '개천에서 용 난다'는 성공 스토리는 오래전 이야기입니다. 출발선부터 차별이 있고 역전할 가능성이 전혀 없는 시합이라면, 우리 아이들은 시작도 하기 전에 좌절하지 않을까요.

그렇다면 정치와 행정은 어떤 역할을 해야 할까. 우리 아이들이 적어도 출발선에서만큼은 같이 설 수 있도록 하는 것, 한 번쯤 경쟁에서 실패해도 다시 일어설 수 있게 도와줘야 하지 않을까요. 남들보다 한때 뒤처져도 얼마든 역전할 수 있고, 멋지게 잘 살 수 있다는 희망을 품을 수 있는 사회적 장치와 문화를 만드는 것. 저는 이것이 좋은 공동체를 위해 우리가 해야 할 일이라고 믿습니다.

빈부격차 없는 배움, 대구 대표도서관

사람은 직접 다양한 경험을 하면서 배우기도 하지만 독서를 통해 간접적으로 체험하고 배우기도 합니다. 독서는 경제력에 구애받지 않고 시공간적인 한계에 부딪히지 않고 마음껏 배우고 경험할 수 있는 지식의 장이기도 합니다. 청소년뿐만 아니라 평생학습 시대에 도서관이 중요한 것도 그 때문일 것입니다. 하지만 현재 대구를 대표하는 중앙도서관은 32년이 넘고 노후화돼 시민들이 불편을 겪고 있습니다. 다른 시도의 대표 도서관 대부분은 통합자료실을 갖추고 있지만 우리 대구의 도서관에는 자료실이 이곳저곳에 분산되어 있고 서로 연계망도 구축되어 있지 않습니다. 지금의 중앙도서관을 대체할 대구의 대표 도서관 건립이 시급하다고 판단했습니다.

2021년 7월 개관을 목표로 진행하는 대구 대표 도서관은 지하 1층, 지상 4층, 연면적 1만 5,000제곱미터 규모로 대구를 대표하는 도서관인 동시에 대규모 공원과 연결된 신개념 복합문화공간으로 건설할 예정입니다. 위치는 남구에 있는 옛 미군 부대를 반환받은 '캠프워커' 터에 지어집니다. 일제강점기에 군사기지였고 6·25 전

남구 미 군부대 반환부지에 들어설 대구 대표도서관 조감도

쟁 이후 미군 부대가 주둔하며 도시와 단절됐던 곳이었습니다. 하
지만 대표 도서관 건립으로 60여 년간 캠프워커로 끊어졌던 도시
를 연결하고 지역공동체를 위한 창의적인 공간으로 거듭나기를 기
대합니다.

원어민과 대화를

우리 아이들을 글로벌 인재로 키우기 위해 원어민 보조교사 지원
제도를 운용하고 있습니다. 교육 여건이 상대적으로 열악한 서구와
남구 지역 학교를 위주로 진행함으로써 지역 간 교육격차 해소라는
또 다른 효과를 기대하고 있습니다. 45개교에 1학교에 1명씩, 소규
모 학교는 2개교에 1명씩 원어민 보조교사를 배치했습니다. 초등학
교 3학년부터 중학교 3학년까지 주 1회 정규수업과 주 5시간 방과

후 수업이 가능해졌고 21개교에서는 영어캠프까지 운영할 수 있게 됩니다. 이렇게 초등학교와 중학교는 거의 모든 학년에서 원어민 보조교사의 수업을 받을 수 있게 됐습니다.

또한 영어 사교육비를 줄이고 교육 격차를 줄이기 위해 원어민과의 '화상영어 학습'도 지원했습니다. 원어민 교사와 학생이 1:3으로 대화를 나누는 방식입니다. 1회에 45분씩 주 2회 혹은 1회에 30분씩 주 3회 수업을 선택적으로 진행할 수 있는데요. '화상영어 학습'은 작년 3월부터 12월까지 초등학생 3학년부터 6학년과 중학생 3,385명이 참여했습니다. 1인당 연간 1분기 수강료를 지원하되 일반학생은 수업료의 70%를 지원하고 사회적 배려 대상자에게는 수업료 전액을 지원하고 있습니다.

③

사회가 품어야 할 우리의 아이들

온 마을이 함께 아이를 키우는 '우리마을교육나눔사업'

'한 아이를 키우기 위해서는 온 마을이 필요하다'는 아프리카 속담이 있습니다. 부모나 가정의 일이 아닌, 공동체 모두의 일이라는 뜻입니다. 아이들은 우리 사회를 책임져나갈 자산들이요, 곧 우리의 미래이기 때문입니다. 우리는 온 마을이 함께 아이를 키운다는 생각으로 주민들이 주도해 지역 청소년 실정에 맞는 맞춤형 교육 프로그램을 기획하고 운영하는 '우리마을 교육나눔사업'을 추진하고 있습니다. 이웃과 정을 나누며 살아왔던 과거에 비해 세대 간에 서로 소통이 단절된 채 살아가는 요즘 온 마을 주민들이 아이들이 행복한 마을을 만들기 위해 함께 고민하고 노력함으로써 세대를 아우르는 소통의 장이 되는 긍정적인 효과도 불러일으키고 있습니다.

'우리마을 교육나눔사업'에는 현재 53개 마을이 참여하고 있는데요. 2016년에는 정부 3.0 우수사업으로 선정돼 행정자치부 장관상을 수상하는 등 주민과 행정이 협업하는 우수한 '거버넌스 모델'로도 손꼽히고 있습니다.

이 사업을 위한 마을의 선정은 재정과 교육 환경이 열악한 지역을 우선적으로 하지만 마을 주민 스스로의 의지와 계획이 중요합니다. 지정된 마을에는 일정한 사업비와 '교육나눔전담지도사'를 지원하고 있습니다. 주민들은 자체적으로 마을별 특화 프로그램을 운영해 왔는데요. 세대 간 공감할 수 있는 가족동화구연, 아빠랑 동네나들이 등의 프로그램부터, 인성을 키우고, 안전 의식을 심어주는 프로그램, 마을 속 직업을 탐방하면서 진로에 대한 꿈을 키워갈 수 있는 프로그램, 창의력을 키우는 문화 프로그램까지 681개의 다양한 프로그램이 운영되고 있습니다.

이렇게 온 마을이 나서서 교육사업을 펼치는 동안 청소년과 주민들 사이에는 끈끈한 유대감도 형성됐습니다. 주택지 재개발로 프로그램을 운영할 장소가 없을 때 선뜻 미용실을 제공한 주민이 나타나고 상서고등학교 조리과 학생들이 직접 반찬을 만들어 지역 경로당을 방문하고 불우이웃을 돕는 등 마을 사람들 사이에 정을 느낄 수 있는 순간들이 많았는데요. 그야말로 학교에서 배울 수 없는 또 다른 산교육이 아닐까 싶습니다.

소중하지 않은 아이들은 없다

최근 집단 따돌림, 학교 폭력, 건강상의 이유 등으로 공교육 입시제도에 적응하지 못하고 학교를 거부하는 아이들이 늘어만 가고 있습니다. 대구만 해도 전국 평균보다 적기는 하지만 해마다 2,000여 명의 아이들이 학교를 떠납니다. 이 아이들을 위한 특별한 프로그램이 필요했습니다. 그래서 '117 학교폭력 신고센터' 및 원스톱지원센

터와 인터넷 스마트폰 중독 치유프로그램, 청소년상담복지센터에서 운영하는 청소년상담전화 '1388', '청소년동반자프로그램'을 만들어 운영하고 있습니다.

거리의 청소년을 위하여

우리 청소년들이 학교 밖을 벗어나야 했던 이유가 무엇인지 상황을 살피고 안전하게 보호하는 것은 물론이요. 다시 교육을 받고 직업 체험이나 취업 등을 통해 자립할 수 있게 돕기 위해서인데 무엇보다 가정에서 보호받지 못하고 거리로 나선 청소년들을 품어주는 게 급선무였습니다.

우선 청소년 쉼터의 기능을 강화했습니다. 여섯 개의 쉼터를 연중무휴 24시간 운영하도록 하고 야간에도 상담인력이 상주하도록 했습니다. 도움이 필요한 청소년들이 언제든 찾아올 수 있도록 문을 열기 위해서입니다.

거리에서 방황하는 청소년을 위해 심야식당도 운영했습니다. 거리로 나선 청소년들은 기본적인 의식주를 해결하지 못해 고통을 겪고 있습니다. 그런 청소년들에게 영양을 보충해주고 아이들이 생계형 범죄를 저지르지 않을 수 있도록 시작한 사업입니다. 저녁 7시부터 밤 자정까지 매주 2~4회 청소년 밀집지역에 찾아갔습니다. 캠핑카나 대형부스를 이용해 급식을 제공하면서 찾아오는 청소년들과 소통하면서 상담을 진행합니다. 2017년 106회 운영된 심야식당을 찾은 청소년은 2,817명이나 됩니다. 숨어 있던 학교 밖 청소년들을 효과적으로 찾을 수 있었습니다.

8개 구군에서는 청소년특별지원 사업을 운영했습니다. 보호자가 없거나 실질적으로 보호자의 보호를 받지 못하는 청소년과 교육적 선도 대상자의 비행이나 일탈을 예방하기 위해 지원이 필요한 청소년에게 현금을 지원해주는 서비스 또한 제공하고 있습니다.

학교 밖 청소년지원센터

학교 밖 청소년들을 찾아서 상담부터 교육과 자립 지원까지 맞춤형 서비스를 지원하는 전담기관은 학교 밖 청소년지원센터입니다. 이 센터를 중심으로 가정법원, 비행예방센터, 보호관찰소, 검찰청 등과 업무협약을 맺고 TF팀을 구축해 더 많은 위기 청소년과 학교 밖 청소년을 찾아내고 연구하고 지원하고 있습니다. 사회복지시설, 쉼터, 민간기업체 등과 힘을 합쳐서 청소년들을 위한 안정적 지원체계를 구축했습니다.

이러한 노력은 성과로 나타나고 있습니다. 2017년에는 3,000여 명에게 상담, 교육, 취업, 자립 등 맞춤형 서비스를 제공했는데요. 청소년 중 498명이 검정고시에 합격했고 24명이 대학에 진학하는 등 535명이 학업에 복귀했고 192명이 사회에 진출했습니다. 인턴십 사업장을 34개소 발굴해 61명이 인턴십 프로그램에 참여했고 547명에게 무료건강검진을 지원했습니다. 우리가 포기하지 않고 내밀어 준 따뜻한 손길이 청소년들에게 다시 한 번 꿈을 꿀 수 있게 한

것입니다.

 학교 밖 청소년들 중에는 약물이나 인터넷 중독 등 특별한 치료가
필요한 청소년도 적지 않습니다. 다행히 작년에 우리는 이러한 청소
년들을 위한 전문 치유센터인 '국립청소년 디딤센터'를 대구에 유치
하게 되었습니다. 그동안 우리나라에는 치료 효과가 가장 높은 것으
로 알려진 거주형 치료재활센터가 경기도 용인시 한 곳뿐인데다가
경쟁이 심해 우리 지역 청소년들이 이용하는 게 거의 불가능했습니
다. 거주형 치료재활 인프라가 절실한 상황에서, 지방에서 유일하게
'보호+치료+교육+자립' 통합서비스가 가능한 센터 유치에 성공한
것입니다. 청소년들의 정서·행동장애를 적기에 치료할 수 있어 청
소년 문제를 예방하고 지역사회 안전망을 강화할 수 있을 것으로 기
대합니다.

 청소년창의센터 '꿈&CUM'

 학교는 소중한 배움의 장입니다. 그러나 모든 청소년들에게 해당
하는 얘기는 아닙니다. 다양한 이유로 학교를 그만둔 청소년들. 학

교가 아니더라도 또 다른 배움의 기회를 제공해줘야 합니다. 학교가 아닌 대안교육이 필요한 이유입니다. 대구청소년지원재단에서는 비인가 대안학교, 청소년 기관, 단체 등의 대안교육 프로그램과 검정고시, 연극, 여행, 예체능 활동 등의 대안교육을 지원하고 있습니다.

2017년 2월 개소한 청소년창의센터 '꿈&CUM'. 학교 밖 청소년과 위기청소년들이 진로를 탐색하고 직업 체험훈련을 통해 취업과 창업을 지원하는 공간입니다.

이곳에서 만난 한 친구의 이야기가 기억납니다. 어렸을 때 양육시설에 버려져 고아로 생활했고 만 18세 이상이 돼 양육시설에서 퇴소하면서 일용직과 공장 아르바이트, 가요주점, 식당 등의 아르바이트로 생활비를 벌기 바빴다고 했습니다. 지금은 청소년창의센터 '꿈&CUM'을 알게 된 뒤 규칙적인 생활을 하며 직업체험 프로그램에 참여하고 있습니다. 처음 마음의 문을 열기까지 시간이 필요했습니다. 하지만 상담 선생님들의 전폭적인 지지와 믿음이 그를 움직였습니다. 1박 2일 직업체험 캠프를 다녀오고 성공한 사업장 대표들이 어려움을 딛고 일어선 이야기를 들으며 '나도 할 수 있다'는 생각을 갖게 됐다는 것입니다.

그를 움직인 것은 사업장 멘토의 한 마디 한 마디였습니다. "시간이 소중하다." "꿈이 있어야 한다." "한 계단씩 조금씩 노력해서 올라가면 자신이 달라진다."는 말을 되새기며 지금은 창업에 대한 열정과 의지를 갖추고 직업훈련 프로그램에 적극 참여하고 있습니다. 센터의 다른 청소년들을 격려하고 이끌어가는 모범을 보이고 있습니다.

나를 믿어주는 단 한 사람

'나를 믿어주는 단 한 사람이 있다면 사람은 비뚤어지지 않는다'는 말이 있습니다. 비록 지금은 엇나가 잘못된 행동을 저질렀지만 비난만 하는 것이 아니라 그래도 다시 돌아올 것이라고 믿고 따뜻하게 손을 내밀어 주는 단 한 사람 말입니다. 지금 위기 청소년들에게 그런 사람이 없었던 것은 아닐까. 가정에서 방치돼 실질적으로 보호자가 없을 수도 있고 소통이 오가지 않을 만큼 신뢰가 깨져버렸을 수도 있습니다.

가족이, 학교가, 그 단 한 사람이 되어주지 못하는 아이들에게는 사회가 나서서 그 '단 한 사람'이 되어줘야 합니다. 대구시청소년지도협회에서는 지역 내 위기청소년들과 일촌 맺기 사업을 진행하고 있습니다. 일대일로 멘토와 멘티를 맺어주는 사업입니다. 멘토가 되고자 하는 사람은 먼저 여섯 차례에 걸친 멘토교육을 이수해야 합니다. 멘토멘티 결연식과 1박캠프를 통해 관계를 쌓은 뒤 주 2회 이상 만나거나 전화통화를 통해 멘토링 활동을 진행하고 있습니다. 처음에는 어색해서 도망 다녔던 아이도 있었지만, 시간이 지날수록 마음을 열고 있습니다. 대부분 아이들은 학교에서 문제가 생기면 먼저 멘토를 찾아와 상담하고 문제를 해결합니다. 이제는 힘들게 마음을 연 아이들의 손을 놓지 않는 일만 남았습니다. 희망의 빛줄기가 보이는 듯합니다.

미주

1   1991년 두산전자 구미공장에서 다량의 페놀 원액이 유출되어 대구·부산·마산을 비롯한 전 영남지역의 식수원인 낙동강을 오염시킨바 있다. 2008년에 코오롱유화 김천공장의 폭발 화재 진화과정에서 유출된 페놀이 소방수와 섞여 인근 하천으로 흘렀고, 400미터 떨어진 낙동강 지류인 감천에 유입되면서 낙동강이 오염됐다.

2   전기차와 전력망이 연결된 상태에서 전기차에 저장된 전력을 전력망으로 전송할 수 있는 시스템

3   2015년 기준

4   기존의 광역적 전력시스템으로부터 독립된 분산 전원을 중심으로 한 국소적인 전력공급 시스템

5   기존 전력저장장치(ESS)에 비상 발전기 또는 무정전 전원장치(UPS) 기능이 융합된 에너지효율화시스템

6   통계청, 「최근 3년간 대구의 20·30대 연도별 순 유출·유입 비교」

7   SK플래닛 M&C, 2017. 5월 조사결과

8   G Oberdödrster(2004), Translocation of inhaled ultrafine particles to the brain, Inhalation Toxicology Vol. 16 No. 6-7 437p~482p 0895-8378 SCI(E)

9   2000~2010년 기준

10 시티즌 오블리주, 문제갑·양순필, 역사비평사, 2009년 12월

11 강제력을 사용하거나 금전적 부담을 주는 대신 심리적 개입 등을 통해 자연스럽게 사람들의 행동을 변화시키는 효과, 즉 사람들의 선택을 유도하는 부드러운 개입

12 도시 환경을 바꿔 범죄를 예방하고 주민 불감을 줄이는 기법과 제도 등을 통칭하는 말

13 2014년 기준

14 OECD family database, 2016

대구, 이미 시작된 미래

초판 1쇄 인쇄 2018년 3월 5일
초판 1쇄 발행 2018년 3월 9일

지은이 권영진
펴낸이 안현주

경영총괄 장치혁
디자인 표지 최승협 본문 장덕종
마케팅영업팀장 안현영

펴낸곳 클라우드나인   **출판등록** 2013년 12월 12일(제2013-101호)
주소 (우) 03993 서울시 마포구 월드컵북로 4길 82(동교동) 신흥빌딩 6층
전화 02-332-8939   **팩스** 02-6008-8938
이메일 c9book@naver.com

인쇄 제작 매일피앤아이
주소 (우) 41933 대구광역시 중구 서성로20 매일신문사 8층
전화 053-716-1216   **팩스** 053-425-1211

값 15,000원
ISBN 979-11-86269-95-4 03320